Unsere schönsten Vornamen

Alexander F. W. Weigel

UNSERE SCHÖNSTEN VORNAMEN

Zum gleichen Thema ist im FALKEN Verlag bereits erschienen:
Dietrich Köhr: „Wie soll es heißen?“ (60067)
Dietrich Voorgang: „Die schönsten Vornamen“ (4755)

Der Text dieses Buches entspricht den Regeln der neuen deutschen Rechtschreibung.

Dieses Buch wurde auf chlorfrei gebleichtem
und säurefreiem Papier gedruckt.

Bei diesem Buch handelt es sich um eine aktualisierte, überarbeitete und neu gestaltete Ausgabe des bereits unter dem Titel „Unsere beliebtesten Vornamen“ erschienenen Buches.

Aktualisierte Neuausgabe
Originalausgabe
ISBN 3 635 60372 4

Umschlaggestaltung: Zembsch' Werkstatt, München
Gestaltung: Bettina Christ
Redaktion: Elisabeth Meyer zu Stieghorst, Hausen/Susanne Janschitz
Herstellung: Bettina Christ
Titelbild: Bavaria, München/TCL
Zeichnungen: Peter Nieländer, Lüdinghausen
Satz: FALKEN Verlag, Niedernhausen/Ts.
Druck: Konkordia Druck GmbH, Bühl/Baden

010230189X817 2635 4453 62

Inhalt

Einführung 6

Alte Namen werden wieder modern 6

Zur Geschichte unserer Vornamen 6

Die Eltern wählen aus 8

Vornamen heute 10

Die beliebtesten männlichen Vornamen der letzten 30 Jahre (Bundesrepublik) 12

Die beliebtesten weiblichen Vornamen der letzten 30 Jahre (Bundesrepublik) 14

Aus Barbara wird Babs 16

Darf ein Kind Pumuckl heißen? 17

Die Vornamen in alphabetischer Reihenfolge 20

Einführung

Alte Namen werden wieder modern

Die beliebtesten Vornamen der heutigen Zeit stellen eine Auswahl aus rund sechshundert Namen des abendländischen Kulturraums dar, die bis heute fast überall in Europa in verschiedenen lautlichen und graphischen Formen gebräuchlich sind. Es handelt sich meist um überlieferte biblische, Königs- und Heiligennamen, die durch historisch bedeutende Namenvorbilder seit Jahrhunderten prägend sind und die heute in den gebräuchlichen europäischen Sprachen in vielen Variationen den Kindern gegeben werden.
Auch wenn zur Zeit mehr und mehr Namen aus den Sprachen der Nachbarländer bevorzugt werden, weil das fremd Klingende oft anzieht, so sind die meisten dieser beliebten modernen Namen gar nicht so fremd, wie es auf den ersten Blick scheint. Es sind Namen bedeutender Männer und Frauen aus der gemeinsamen christlich-abendländischen Geschichte, die schon früher gebräuchlich und beliebt waren – es fehlt uns nur der Überblick, um die sprachlichen Zusammenhänge der Namenentwicklung zu erkennen.

Zur Geschichte unserer Vornamen

Bis ins 12. Jahrhundert genügte jedem unserer Vorfahren ein Name, um sich von anderen Menschen zu unterscheiden. Mit diesem einen Personennamen wurden sie gerufen, zum Teil auch mit Kurz- oder Koseformen. Viele dieser Namen sind uns durch historische Quellen überliefert. Von Abbo (aus Adalbert) bis Zuzo (aus Zudamar) gab es vom 6. bis 11. Jahrhundert Tausende solcher Rufnamen, die längst verklungen sind.
Neben die alten Rufnamen traten bei wachsender Bevölkerung vom 12. Jahrhundert an zunächst Beinamen zur besseren Un-

terscheidung, dann allmählich bestimmte Zunamen, die sich zu festen Familiennamen entwickelten. Der nun Vorname gewordene alte Rufname blieb jedoch über die Jahrhunderte hinweg der eigentliche, auf den Menschen ganz persönlich bezogene Name, während der Familienname in der Lebensgemeinschaft bis heute eine förmliche, die Familienzugehörigkeit kennzeichnende, offizielle Funktion innehat.

Unsere heutigen Vornamen, soweit sie griechischer, germanischer oder slawischer Herkunft sind, zeigen durch eine zweistämmige Gliederung zwei Bedeutungen an, während den Namen der Römer und der jüngeren lateinischen Namenbildung das Prinzip der zweistämmigen Gliederung fehlt.

Viele der griechischen Namen, die bei uns gebräuchlich sind, haben zwei verschiedene Bedeutungen tragende Wortstämme – so ist beispielsweise Alexander aus alexo „schützen" und andros „Mann" zusammengesetzt. Die zweistämmigen germanischen Namen sind ähnlich gebildet. Dagegen überraschen die meist sachlichen Namen der Römer aus dem allgemeinen lateinischen Wortschatz: Claudia kommt von claudus und hat mit „lahmend" eine nicht gerade schmeichelhafte Übersetzung. Die jüngeren lateinischen Namenbildungen dagegen, zum Teil unter griechischem Einfluss entstanden, sind ihrem Inhalt nach umso ansprechender: Felix zum Beispiel bedeutet „glücklich", „glückbringend".

Die altdeutsche Namengebung wird beherrscht vom überlieferten germanischen Weltbild, von ihren Göttern, der unmittelbar erlebten Natur, der Tierwelt und dem existenzbestimmenden kriegerischen Leben. Viele germanische Wortstämme weisen auf Kampf und Krieg, Waffen und Sieg, Schutz und Schirm hin und auf die dazu erwünschten Eigenschaften, diejenigen der heimischen Tiere eingeschlossen. Der Name Rüdiger oder Hrodgaer beispielsweise setzt sich zusammen aus den althochdeutschen

Wörtern hruod „Ruhm“ und ger „Speer“ oder der Name Bernhard aus bero „Bär“ und harti „hart“. Die Frauennamen weisen neben den Walkürennamen oft schützende, rettende Eigenschaften auf, darüber hinaus werden sie auch von Männernamen abgeleitet. Ingeborg kommt von Ingvio (altnordischer Stammesgott) und von borg „Burg, Schutz“.
Seit dem 11. Jahrhundert ist die Kraft der alten deutschen Namenschöpfung, ihrer Bildung und Mehrung im Schwinden begriffen, zugleich sind durch die Verbreitung des Christentums aus dem Süden neue, fremde Namen eingedrungen. Die Namen der Griechen und Römer wie die biblischen Namen, einhergehend mit der Christenmission, gewannen nun im deutschen Sprachraum mehr und mehr an Einfluss. Gab es vom 8. bis 12. Jahrhundert unter hundert einheimischen deutschen Namen germanischer Herkunft nur etwa zwei bis drei fremde Namen, so hat sich heute, nach über achthundert Jahren, das Verhältnis weitgehend verändert: Unter den auf den folgenden Seiten beschriebenen beliebtesten Namen und ihren Kurzformen sind ungefähr drei Viertel Fremdnamen und nur noch etwa ein Viertel Namen deutscher Herkunft. Die Hinwendung zu fremden Namen seit der Nachkriegszeit zeigt die Ablehnung einer vergangenen Namengebung, bei der gefordert wurde, „deutsche Eltern sollten ihren Kindern keine jüdischen und andere fremdländische Vornamen mehr geben“. In einer Zeit freier, ungezwungener Namenwahl sind gerade die Namen der Bibel und der Antike beliebt und werden häufig gebraucht.

Die Eltern wählen aus

Heute nehmen Eltern das Recht auf Vornamenwahl gerne und bewusst wahr. Mag dabei der Einfluss aus dem engeren Familienkreis noch so groß sein, genommen wird schließlich meist der Name, der den Eltern am besten gefällt. Namenvorbild ist zunächst eine Person der Vergangenheit oder Gegenwart – ein

Mann, eine Frau, ein Kind; durch sie gewinnt ein Name Ansehen. Namenvorbilder waren und sind meist bekannte, beliebte oder einflussreiche und vornehme Personen wie Könige, Fürsten und Heilige bis zu den Idolen von Sport und Fernsehen. Ihre Namen wanderten in ihrer Zeit, in der sie dem modischen Zeitgeschmack entsprachen, von den oberen sozialen Schichten zu den unteren. Dort verbreiteten sie sich, weil sie gut gefielen, und wegen ihrer vornehmen Herkunft.

Die Motive für die Wahl eines bestimmten Namens sind unterschiedlich. Möglicherweise wählt man aufgrund einer bestimmten Namenfolge in einer Familie, vom Großvater auf den Vater, den Sohn oder Enkel. Oder aber man orientiert sich an Namen geschichtlich bedeutender Männer und Frauen. Religiöse Eltern wählen unter Umständen den Namen eines Heiligen oder einer anderen kirchlichen Autorität. Künstler und Stars der Gegenwart aus Film und Fernsehen inspirieren zur Benennung. Man wählt einen Namen, weil er modern ist, weil viele ihn tragen; andere wiederum lieben es ausgefallen und wählen den klangvollen, ungewöhnlichen Namen. Auch nostalgische Motive können zur Namenwahl führen, in Erinnerung an angenehme Ereignisse oder Personen, an Freunde oder Verwandte.

Egal, welches Motiv man selbst zu Grunde legt, bei der Namenwahl steht immer ein Wunsch obenan: Der Name für das Kind soll schön, klangvoll und passend sein. Im Folgenden noch einige nützliche Hinweise dazu:

- Wählen Sie wohl überlegt und besonders auch im Interesse Ihres Kindes einen schönen Vornamen aus.
- Wenn Sie mehrere Vornamen möchten: Beschränken Sie sich auf maximal drei.
- Geben Sie Ihrem Kind den vollen Vornamen, den es einmal als erwachsener Mensch tragen soll; im Kleinkind- und Schulalter können Sie das Kind eventuell noch mit dem abgeleiteten Kurznamen oder Kosenamen rufen.

- Kurzformen und kurze Namen entsprechen dem Zug der Zeit. Die vertrauten Kosenamen der Kindheit wirken jedoch später beim Erwachsenen albern, mit einem niedlichen „Bubi-Namen“ tut man seinem Kind keinen Gefallen; also nicht Andy, Conny oder Hansi, sondern Andreas, Cornelia und Hans.
- Ein zu langer Vorname ist ebenso hinderlich im täglichen Umgang wie ein hübscher Doppelname, der als Rufname gebraucht werden soll. Ist er zu lang, liest er sich zwar gut auf dem Papier, ist aber aufwendig in der Aussprache; also Hanspeter ja, Johannes-Nikolaus nein.
- Auf einen seltenen Namen mit ausgefallener Schreibweise mögen die Eltern stolz sein; doch kann der besondere Name Anforderungen an ein Kind stellen, denen es später nicht gewachsen ist – und sei es nur, weil es Auffälliges einfach nicht mag.

Vornamen heute

Auffallend bei der heutigen Namengebung ist die wachsende Tendenz zum anderssprachigen Vornamen. In Abkehr von den deutschen Namen germanischer Herkunft haben nach dem Zweiten Weltkrieg die christlich-antiken Namen hebräisch-griechisch-lateinischer Herkunft erneut ihren Siegeszug angetreten, der bis heute anhält. Dass die Hälfte der heute im deutschsprachigen Raum beliebtesten Namen als Heiligennamen verehrt wurde, ist vielen Eltern gar nicht bewusst. Die würdigen Namenspatrone eroberten sich ohne kirchlichen Segen die moderne Namenwelt und überdauerten die wechselnden Moden der Jahrhunderte.

Jungennamen wie Alexander, Christian, Daniel, Michael, Stefan, Andreas, Florian und Sebastian stehen seit Jahren an der Spitze der Beliebtheitsskala. Ähnlich bei den Mädchen: Stefanie, Katharina (in Konkurrenz mit der modernen Form Kathrin), Christine, Anna, Julia, Nadine, Sarah. Nur die engli-

schen Namen Jessica und Vanessa haben sich seit einigen Jahren unter die ersten zehn geschoben.
Weiterhin kamen aus dem Englischen: Oliver, Patrick, Roger, Steven, Mike, Carolin, Jennifer, Patricia und Dennis. Aus dem Französischen wurden beliebt: André, Denis, René, Nicole, Simone, Jacqueline, Mireille, Nadine, Yvonne.
Slawische Kurzformen mit klangvollem „a" wurden bevorzugt: Nadja, Sascha, Sandra, Tanja, Tatjana. Daneben wurde auch eine Anzahl niederdeutsch-friesischer und verwandter nordischer Namen sehr beliebt: Antje, Anke, Heike, Silke, Birgit, Birgitta, Britta, Björn, Kerstin, Meike, Lars, Niels, Olaf, Sven, Torben, Torsten und Ulrike.
Im Vergleich von Jungen- und Mädchennamen fällt auf, dass abgeleitete „Namenpaare" sich ähnlicher Beliebtheit erfreuen: Andreas – Andrea, Christian – Christina, Daniel – Daniela, Heiko – Heike, Manuel – Manuela, Michael – Michaela, Stefan – Stefanie.

Die beliebtesten männlichen Vornamen der letzten 30 Jahre (Bundesrepublik)

Achim	Dieter	Henning	Lorenz
Adrian	Dietmar	Herbert	Lothar
Alain	Dirk	Hermann	Ludwig
Alexander	Dominik	Holger	Lukas
Alfred	Erik	Horst	Manfred
André	Ernst	Ingo	Manuel
Andreas	Fabian	Jakob	Marcel
Anton	Felix	Jan	Mario
Axel	Florian	Jean	Markus
Bastian	Frank	Jens	Marc
Beat	Franz	Joachim	Mark
Benedikt	Friedrich	Jochen	Marco
Benjamin	Fritz	Johann	Marko
Bernd,	Friedhelm	Johannes	Martin
Bernt	Georg	Jonas	Marvin
Bernhard	Gerald	Jörg	Matthias
Berthold	Gerd, Gert	Josef	Maximilian
Björn	Gerhard	Joseph	Max
Bruno	Gregor	Jürg	Michael
Burkard	Günther	Jürgen	Michel
Christian	Günter	Julian	Mike
Christoph	Guido	Kai	Maik
Christopher	Hans	Karl, Carl	Mirko
Clemens	Hannes	Karlheinz	Moritz
Daniel	Harald	Karsten	Nicolas
David	Hartmut	Kevin	Niels, Nils
Denis	Heiko	Klaus	Nikolaus
Dennis	Heinrich	Knut	Nikolas
Detlef	Heinz	Kurt	Norbert
Detlev	Helmut	Lars	Olaf

Oliver	Ralf	Sascha	Tobias
Olivier	René	Sebastian	Tom
Otto	Reto	Simon	Udo
Pascal	Richard	Stefan	Ulf
Patrick	Robert	Sven	Ulrich
Paul	Roger	Thomas	Urs
Peter	Roland	Torben	Uwe
Philipp	Rolf	Torsten	Volker
Pierre	Roman	Till	Walter
Rainer	Rüdiger	Tilman	Werner
Raphael	Rudolf	Tim, Timm	Wilhelm
Reiner	Sandro	Timo, Tiemo	Wolfgang

Die beliebtesten weiblichen Vornamen der letzten 30 Jahre (Bundesrepublik)

Agnes
Alexandra
Alice
Andrea
Angela
Angelika
Angelina
Anja
Anke
Anna, Anne
Annegret
Annemarie
Annette
Antje
Antonia
Astrid
Barbara
Beate
Beatrix
Bettina
Bianca
Birgit
Birgitte
Brigitte
Britta
Carolin
Chantal
Charlotte
Christa
Christel
Christine
Christina
Christiane
Claudia
Constanze
Cordula
Corinna
Corinne
Cornelia
Dagmar
Daniela
Denise
Diana
Doris
Dorothea
Edith
Elfriede
Elisabeth
Elke
Erika
Esther
Eva, Evi
Fabienne
Franziska
Friederike
Gabriele
Gerda
Gertrud
Gisela
Gudrun
Gwendolin
Hanna
Hedwig
Heidi
Heike
Helene
Helga
Hildegard
Ilona
Ilse
Ina
Inga
Inge
Ingeborg
Ingrid
Irene
Irmgard
Isabelle
Jacqueline
Jana
Janine
Jasmin
Jennifer
Jessica
Johanna
Judith
Julia
Jutta
Karin
Karola
Karolin
Katharina
Kathrin
Katia, Katja
Kerstin
Korinna
Laura
Lea
Lena
Lisa
Manuela
Margaret
Margit
Maria
Marie
Marianne
Mareike
Marion
Marlene
Marlies
Martha
Martina
Maike
Meike
Melanie
Michaela
Michelle
Mirjam
Monika
Nadja

Nadine	Regula	Sibylle	Tatjana
Natalie	Renate	Silke	Teresa
Natascha	Rita	Silvia	Ulrike
Nicole	Rosemarie	Simone	Ursula
Nina	Roswitha	Sofie	Ute
Pamela	Ruth, Rut	Sonja	Uta
Patricia	Sabine	Stefanie	Vanessa
Petra	Sabrina	Susanne	Verena
Rahel	Sandra	Svenja	Wiebke
Rebecca	Sara, Sarah	Tamara	Wibke
Regina	Saskia	Tanja	Yvonne

Aus Barbara wird Babs

In der Bildung der Vornamen unterscheidet man Vollformen, Kurzformen, Koseformen und Verkleinerungsformen: Barbara Barb, Babs, Bärbel. Statt der vollen Namenformen sind heute zahlreiche Kurz- oder Koseformen beliebt. Kurzformen entstanden oder entstehen in der Umgangssprache, um längere Namen in der Aussprache geläufiger zu machen. Kurzformen können durch längeren Gebrauch zu selbstständigen und vollwertigen Namen werden, so beispielsweise Bernd, eine Kurzform von Bernhard. Koseformen sind die aus familiärer Zuneigung abgewandelten vertraulichen Formen eines vollen Namens. Kurzformen, die zunächst aus sprachlichen rationalen Gründen gebildet wurden, können im vertraulichen täglichen Gebrauch zu Kosenamen werden. Die Verkleinerungsformen sind je nach landschaftlich gebrauchten Endungen unterschiedlich. Im oberdeutschen Sprachraum wird mit -i, -el, -l, -le, -li verkleinert, im niederdeutsch/friesischen Raum mit -ke, -je sowie allgemein mit -lein und -chen. Dementsprechend unterschiedlich werden die Namen abgewandelt. Aus Christine wird Christel, aus Marie Mariechen.

Die Möglichkeit, durch Ableitungselemente aus männlichen Namenformen weibliche Namenformen zu bilden, führte durch Anhängen von -a oder -e, -ine oder -ina zu zahlreichen weiblichen Vornamen (Daniel, Daniela). Fremde Vornamen mit ihren ungewohnten Lautformen und ihrem meist unverstandenen Sinn haben im Laufe der Jahrhunderte in den deutschen Mundarten eine weitaus stärkere Umwandlung erfahren als die einheimischen deutschen Namen. Viele griechische und lateinische Namen wurden erst vertraut und beliebt, nachdem man sie im Volksmund durch Kürzungen und Zusammenziehungen der deutschen Sprache angepasst hatte: aus Niklaus wurde Klaus oder Niels, aus Andreas Andres.

Die mundartlichen Namenformen weichen von den hochdeutschen Schreibweisen oft erheblich ab, sodass man zum Beispiel

in Köln sagt: „All us Kinder schrieve sich mit 'S": Schang, Schanett, Seiken un Schorsch, blus us Zofi net." Gemeint sind die Namen Jean, Jeannette, Lucia, Georg und Sofie. Soweit bekannt, werden bei den einzelnen Namen mundartliche Abwandlungen aufgeführt. Auch die entsprechenden Namen und Kurzformen aus den wichtigsten europäischen Nachbarländern sind zum Vergleich und zur Orientierung aufgenommen worden.

Darf ein Kind Pumuckl heißen?

Das Recht, einen Vornamen auszuwählen, steht in der Regel den Eltern eines Kindes gemeinsam zu, in besonderen Fällen demjenigen, der die Sorge für das Kind übernimmt. In der Schweiz werden die Vornamen vom Vater und an seiner Stelle von der Mutter bestimmt. In allen Landern besteht die Pflicht, den oder die Vornamen bei der Geburt oder innerhalb einer bestimmten Frist beim Standesbeamten anzuzeigen. Wichtigste Bedingung für die Eintragung ist, dass die Vornamen eindeutig das Geschlecht des Kindes erkennen lassen: Für Knaben sind also nur männliche, für Mädchen nur weibliche Vornamen zulässig. Lässt ein Name Zweifel über das Geschlecht des Kindes aufkommen, so muss ein weiterer, den Zweifel ausschließender Vorname gegeben werden. Bezeichnungen, die ihrem Wesen nach keine Vornamen sind, dürfen nicht gewählt werden, so zum Beispiel anstößige oder „gewöhnliche" Wörter, Sachbegriffe, Gattungsnamen, Familiennamen, geographische Namen, Titel, Adelsprädikate. Mehrere Vornamen können zu einem Doppelnamen verbunden werden oder mit Bindestrich versehen werden. Die Verwendung einer gebräuchlichen Kurzform eines Vornamens als selbstständiger Namenseintrag ist zulässig. Vornamen werden in der schriftsprachlichen Form nach den allgemeinen Regeln der heutigen Rechtschreibung eingetragen. Die Anzahl der Vornamen ist durch die Bestimmungen der einzelnen Länder nicht beschränkt. Doch wird

erwartet, dass sich die Eltern im Interesse des Kindes mit wenigen Vornamen zufrieden geben. „Ein Kind mit einer Vielzahl von Vornamen wird im verwalteten Staat während seines ganzen Lebens mehr oder weniger Ärger haben.“

Nach den genannten Bestimmungen dürfte eigentlich kein Kind Alpha, Pumuckl oder Winnetou heißen. Aber die Gerichte sind manchmal – im Gegensatz zu den genauen und pflichtbewussten Standesbeamten – recht verständnisvoll und tolerant in ihrer Auffassung: Sebastian Alpha durfte der erstgeborene Stammhalter 1984 nach Urteil des Amtsgerichts Duisburg heißen. Begründet wurde dies mit „religiösen Gründen“; laut Offenbarung 1,8; 21,6 heißt es: „Ich bin das A und das O, der Anfang und das Ende, spricht Gott der Herr.“ (Gemeint mit A und O sind Alpha und Omega, der erste und der letzte Buchstabe des griechischen Alphabets.) Eine ungute Entscheidung, denn Alpha ist nicht nur Jungenname in den USA, sondern auch Mädchenname in England, und bei uns hat Alpha als erster Buchstabe des griechischen Alphabets auch heute noch eine rein sachbezogene Ordnungsfunktion.

Unter den geographischen Mädchennamen war Europa bereits 1968 in München, Germania in Hamburg und Silesia (die „Schlesientochter“) zugelassen worden; auch eine Bäckerstochter in München darf seit 1981 Bavaria heißen.

Pumuckl, der TV-Kobold, wurde 1983 vom Oberlandesgericht Zweibrücken neben Philipp als Zweitname zugelassen, „weil der Kobold so viele sympathische Eigenschaften hat“, meinte der Richter. Als männlicher Vorname wurde Timpe (im Märchen „Von dem Fischer un syner Fru“) in Verbindung mit Johannes 1979 vom Oberlandesgericht Hamburg, Winnetou (der ideale Indianerhäuptling aus Karl Mays Werken) schon 1974 vom Landgericht Darmstadt zugelassen. Blumennamen sind kein Vorrecht mehr für Mädchen, denn die Pflanzenbezeichnung Oleander wurde 1983 vom Amtsgericht Stuttgart als männlicher Vorname anerkannt. Jasmin war schon 1957 vom

Amtsgericht Nürnberg, Azalee 1960 vom Amtsgericht Koblenz als Mädchenname anerkannt worden. Ein Vater durfte seine beiden Kinder nach den Himalajabergen Turpin und Sheila nennen (Landgericht München, 1964/65).
Ein Mädchen in Niedersachsen darf schon seit langem Taiga heißen nach dem sibirischen Waldgebiet (Amtsgericht Lüneburg, 1976). Bezogen auf Christian Morgensterns groteskkomische Palmström-Verse mit dem Gedicht „Die Windsbraut" (1910) wurde Windsbraut 1985 vom Landgericht Ravensburg als Mädchenname anerkannt, obwohl bei der mittelhochdeutschen windesbrut, was soviel wie „der Wirbelwind" bedeutet, die „Braut" gar nicht so sicher ist; möglich ist „ein Wind braut sich zusammen". In der Urteilsbegründung wird erläutert: „Als lächerlich ist ein Vorname (...) nur dann anzusehen, wenn die Bezeichnung nicht nach ihrer Wirkung auf andere beurteilt wird, sondern für sich allein betrachtet von ihrem Wortlaut, Sinn oder Klang her bei objektiver Würdigung nicht mehr ernst genommen werden könnte (...)"
Man möchte manchen Wunsch nach einem ungewöhnlichen Namen, seine Anerkennung oder Ablehnung, mit einem lachenden und einem weinenden Auge betrachten. Die Schweizer Standesbeamten sprechen hierbei von „diskutablen Namen": „Es gibt Namen, die zum mindesten diskutabel sind, etwa weil sie den guten Geschmack verletzen. Nun sind aber gerade Geschmacksfragen dem Entscheid des Zivilstandsbeamten entzogen. Er kann persönlich sehr wohl einen von den Eltern gewählten Vornamen als geschmackswidrig empfinden. Sofern ein solcher Name nicht lächerlich oder anstößig ist und nicht die Interessen irgend jemandes verletzt, kann der Zivilstandsbeamte ihn nicht ablehnen."

Die Vornamen in alphabetischer Reihenfolge

Alexander, Alexandra, Sandra

Alexander

Herkunft und Geschichte

Alexander war im alten Griechenland Königsname. Alexandros (griechisch) bedeutet „der Abwehrende, Schützer" und leitet sich ab von alexo „schütze, verteidige" und andros „Mann". Bekannt wurde der Name durch Alexander den Großen (356–323 v. Chr.), König von Makedonien und griechischer Feldherr, populär durch die antike Alexandersage. Heilige, Kaiser, Könige und Päpste des Mittelalters trugen diesen Namen. Im 11./12. Jahrhundert wurde Alexander häufig gewählt in Aachen, Köln und Trier. Heute ist der Name seit Jahren unter den 20 beliebtesten Vornamen der deutschsprachigen Länder. Seit 1994 steht Alexander in den alten Bundesländern auf Platz 1 der beliebtesten Vornamen, und auch in den neuen Bundesländern reiht er sich in die Spitzengruppe ein.

Bekannte Namensträger

Alexander Fleming (1881–1955), englischer Bakteriologe, der das Penicillin entdeckte und dafür 1945 den Nobelpreis für Medizin erhielt; Alexander von Humboldt (1769–1859), deutscher Naturforscher und Geograph; Alexander Puschkin (1799–1837), russischer Schriftsteller, der durch ein Duell sein Leben verlor; zu seinen Hauptwerken zählen „Eugen Onegin" und „Boris Godunow"; Sandro Botticelli (1445–1510) italienischer Maler der Frührenaissance, wirkte in Florenz und Rom (Wandbilder der Sixtinischen Kapelle). Zu seinen Hauptwerken zählt die „Geburt der Venus".

Kurzformen

Alex, Lex, Lexel, Sander, Sandro, Zander.

Fremdsprachige Namensformen

Englisch Alexander, Alec, Alick, Sander, Sandy; französisch Alexandre; italienisch Alessandro, Sandro; spanisch Alejandro; russisch Aleksander, Sascha, Aljoscha; ungarisch Sandor; arabisch Iskander.

Kurzformen

Zur beliebten Kurzform Sascha haben die Romane Leo N. Tolstois beigetragen. Sascha erreichte 1975 in der Gesamtwertung der Bundesrepublik den 9. Platz. Die Kurzform Sandro stand 1986 in Bern an 19. Stelle.

Namenstage

3. Mai, 29. Juli.

Alexandra

Herkunft und Geschichte

Alexandra, die weibliche Form zu Alexander, verbreitete sich ursprünglich durch eine legendäre Heilige. Um die Jahrhundertwende noch beinahe ausschließlich ein Adelsname, wurde Alexandra nach 1960 beliebt und lag 1970 in der Spitzengruppe.

Kurzformen

Alexa, Alexia, Alice, Alix, Sascha, Sandy

Fremdsprachige Namensformen

Italienisch Alessandra.
Die italienische Kurzform Sandra erreichte in der Bundesrepublik 1977 bis 1980 den 3. bis 8., in Österreich 1984/86 den 2. Platz. In der Schweiz, in Zürich, lag der Name 1984/85 auf dem 1., in Bern 1986 auf dem 3. Platz.

Bekannte Namensträgerinnen

Sandra Paretti (1935–1994), eine der erfolgreichsten deutschen Autorinnen von Unterhaltungsromanen der Nachkriegszeit; Sandra (*1963), deutsche Schlagersängerin.

Namenstage

Alexandra 21. April, 26. Juli; Sandra 18. Mai.

Andreas, Andrea

Andreas

Herkunft und Geschichte

Andreas, „der Mannhafte“, kommt aus dem Griechischen, von andreios „mannhaft, tapfer“. Frühes Namenvorbild war der Apostel Andreas, Bruder des Simon Petrus; er wurde beim Fischfang von Jesus zu einem seiner Jünger berufen. Nach seiner Missionstätigkeit in Kleinasien und Griechenland erlitt Andreas den Kreuzestod in Patras. Durch seine Verehrung breitete sich der Name vom 9. Jahrhundert an im Abendland aus. Andreas hielt in der Gesamtwertung von 1961 bis 1974 die 1. Stelle und stand in den letzten 10 Jahren an 4. bis 10. Stelle. In Österreich erreichte der Name 1984/86 Platz 5, in Zürich 1984/86 Platz 1.

Bekannte Namensträger

Andreas Hofer (1767–1810), Gastwirt und Tiroler Freiheitsheld; Andreas Brehme (*1960), deutscher Fußballspieler; Andreas Köpke, Torwart, stand während der Fußball-Europameisterschaft 1996 in England im Tor und trug wesentlich zum Gewinn der Meisterschaft bei; André Gide (1851–1951), französischer Dichter, der 1947 den Nobelpreis für Literatur erhielt; André Heller (*1947), österreichischer Kabarettist und Sänger, der sich in letzter Zeit durch die Inszenierungen von Varietéshows und Feuerwerkspektakeln, aber auch als Schöpfer einer kunstvollen Gartenwelt (Fondazione André Heller am Gardasee) einen Namen gemacht hat; Andrej Sacharow (1921–1989), russischer Physiker und Bürgerrechtskämpfer, wurde 1975 mit dem Friedensnobelpreis ausgezeichnet; Andrzej Szczypiorski (*1924), polnischer Schriftsteller, Träger des Friedenspreises des Deutschen Buchhandels, unermüdlicher Mittler und Mahner für

Verständigung zwischen Polen und Deutschland. Zu seinen Hauptwerken gehört „Die schöne Frau Seidenman"; Andie MacDowell, amerikanische Filmschauspielerin, die durch romantische Filmkomödien („Vier Hochzeiten und ein Todesfall") berühmt wurde; Andy Wharhol (1928–1987), amerikanischer Pop-art-Künstler und Filmemacher, der unter anderem die Serienfertigung in der Kunst hoffähig machte; Andrea Bocelli, italienischer Tenor, der durch das Lied „Time To Say Goodbye" über Nacht zu Starruhm gelangte.

Kurzformen

Andi, Andres; niederdeutsch Anders, Dres, Dreis, Enders; oberdeutsch Enderle; österreichisch Anderl.

Fremdsprachige Namensformen

Englisch Andrew, Andy; französisch André; italienisch Andrea, Drea; spanisch Andres; niederländisch Andreas, Andreus, Andries; dänisch/schwedisch Anders; russisch Andrej, Andros, Andrus; ukrainisch Andrij; ungarisch András.
Die französische Form André stand im norddeutschen Raum 1983 bis 1985 an 2. bis 6. Stelle.

Andrea

Herkunft und Geschichte

Andrea ist als weibliche Form von Andreas zum beliebten Mädchennamen geworden, erreichte jedoch nicht den Beliebtheitsgrad von Andreas. Regional, zum Beispiel in Niedersachsen, Bonn, Freiburg und Hamburg, war Andrea unter den 10 beliebtesten Mädchennamen; in Bern lag der Name 1985 und 1986 auf dem 1. Platz, in Österreich 1984/86 auf dem 10. Platz.

Namenstag

Andreas und Andrea 30. November.

Anna, Anne

Herkunft und Geschichte

Der alte deutsche Name Anna, die weibliche Form zu Anno, ist im 11. Jahrhundert untergegangen, aber der biblische Name Anna fand durch die Verbreitung des Christentums bei uns Aufnahme. Der überlieferten griechischen Form Anna entspricht im Hebräischen Hanna beziehungsweise Hannah, „die Begnadete, Holdselige, Anmutige".

Anna war die Mutter Marias, ihr Name war im 2. Jahrhundert durch den Jakobusbrief weit verbreitet. Dem Kult im Orient seit dem 6. Jahrhundert folgte der im Abendland vom 8. Jahrhundert an. Das Spätmittelalter brachte die Hochblüte der Anna-Verehrung, vielen anderen weiblichen Taufnamen wurde der Name nun vorangestellt. Seit dem 16. Jahrhundert war Anna mit Maria der häufigste deutsche Frauenname.

Seit 1981 ist der Name erneut sehr beliebt geworden und erreichte 1988 den 4. Platz in der Bundesrepublik. In England stand Anna, Anne 1981 an 9., in der Schweiz 1985 in Bern an 8., in Zürich an 9. Stelle. 1990 kletterte Anna an die 1. Stelle der Beliebtheitsskala in den neuen Bundesländern, und seit dieser Zeit belegt der Vorname immer einen der vorderen Plätze in Ost- und Westdeutschland. Eines wechselt allerdings: Einmal hat „Anna" die Nase vorn und dann wieder „Anne". 1996 erreichte in den neuen Bundesländern „Anne" den 3. Platz und in den alten Bundesländern „Anna" den 4. Anja, die russische Kurzform zu Anna, stand 1961 bis 1974 in der Gesamtwertung der Bundesrepublik neben Tanja an 12. Stelle. Annika, die schwedische Koseform von Anna, wurde durch Astrid Lindgrens Kinderbuch „Pippi Langstrumpf" bekannt.

Bekannt: In „Anna selbdritt" (Wallfahrtskirche Annaberg bei Haltern, 15. Jahrhundert) ist Anna mit Maria und dem Jesuskind dargestellt. Leonardo da Vinci malte Sankt Anna um 1510

(Louvre, Paris). Anne Frank, Tochter eines jüdischen Bankiers, führte ein Tagebuch, während sie sich mit ihrer Familie vor den Nazis versteckt hielt.

Bekannte Namensträgerinnen

Anna Boleyn (1507–1536), 2. Ehefrau Heinrichs VIII., sie teilte das Schicksal ihrer Nachfolgerinnen und wurde hingerichtet; Annette von Droste-Hülshoff (1797–1848), deutsche Lyrikerin; Anna Magnani (1908–1973), italienische Film- und Theaterschauspielerin; Anna Pawlowa (1882–1931), unvergessene Primaballerina des klassischen russischen Balletts; Änne Burda, Unternehmerin und Herausgeberin von Zeitschriften; Anita Kupsch (*1940), beliebte Darstellerin, vor allem in Fernsehserien; Anita Wachter (*1967), österreichische Skiläuferin; Anja Fichtel-Mauritz (*1968), deutsche Weltklassefechterin und Goldmedaillengewinnerin, hat 1997 ihren Rücktritt vom aktiven Wettkampfsport verkündet; Anja Kruse (*1956), erfolgreiche Seriendarstellerin im Fernsehen („Schwarzwaldklinik"); Anke Fuchs (*1937), SPD-Politikerin, Mitglied des Deutschen Bundestags; Antje Vollmer (*1943), Mitglied der Grünen und Vizepräsidentin des Deutschen Bundestags; Antje-Kathrin Kühnemann, Ärztin und Fernsehmoderatorin („Die Sprechstunde").

Fremdsprachige und regionale Namensformen

Niederdeutsch Anke, Anneke, Antje, Anning; oberdeutsch Anni, Annerl, Andel, Anneli, Nanni, Nannerl, Nanneli; englisch Ann, Anne, Annie, Nancy; französisch Annette, Nannette, Nanon, Ninon; italienisch/spanisch Anita, Ania; russisch Anja, Aniska, Anjuscha, Anika, Anka; schwedisch Annika; slawisch Anica.

Namenstag

26. Juli „Annentag".

Astrid

Herkunft und Geschichte

Astrid ist ein Mädchenname nordischer Herkunft, der wohl ursprünglich ein Walkürenname war. Die ältere Form Astrith setzt sich zusammen aus dem altnordischen as (germanisch ans) „Gott" und thruthi „Kraft, Stärke", umgedeutet bei weiblichen Namen in „zuverlässig, sicher, treu, traut".
Astrid hieß die Mutter von König Olaf Tryggvason und die Gemahlin König Olafs II. (995–1030). Durch beide Frauen verbreitete sich der Name zuerst in Norwegen. Als Anstrat, Anstrada, angelsächsisch Esdred, trifft man den Namen vom 8. bis 10. Jahrhundert im Westgermanischen. Später war Astrid Adelsname im norddeutschen Raum. Seit den dreißiger Jahren dieses Jahrhunderts wurde der Name bei uns bekannt durch den tragischen Tod der dreißigjährigen belgischen Königin Astrid, die aus Schweden stammte.
Bereits 1910 schrieb Eduard Stucken das Drama „Astrid".

Bekannte Namensträgerinnen

Astrid Lindgren (*1907), erfolgreiche schwedische Kinderbuchautorin, Friedenspreisträgerin des Deutschen Buchhandels 1978; Astrid Kumbernuss gewann die Goldmedaille im Kugelstoßen in Atlanta und musste sich 1997 das erste Mal nach einer beispiellosen Siegesserie geschlagen geben; Astrid Varnay (*1918), Opernsängerin im Sopranfach, vor allem berühmt als Wagner-Sängerin.

Kurzformen

Asta, Asti, Astra; schwedisch Astri, Assa, Sassa, Assi, Atti; dänisch Estrid.

Namenstag

27. November.

Barbara

Herkunft und Geschichte

Barbara, „die Fremde", ist ein altgriechischer Frauenname; *bárbaros* bedeutet „fremd, ausländisch".
Namenvorbild wurde die heilige Barbara, Märtyrerin aus Nikomedien (Kleinasien) um 306, die vom 14. Jahrhundert an sehr verehrt wurde. Barbara stand 1958 in der Bundesrepublik an 7. Stelle der Beliebtheitsskala. In Wien erreichte der Name 1981 die 1., im Burgenland und Niederösterreich 1984/86 die 2. Stelle. In Bern stand Barbara von 1979 bis 1986 in der Spitzengruppe der ersten 10 Namen.

Literatur und Kunst

Franz Werfel schrieb 1929 den Roman „Barbara oder die Frömmigkeit" und Carl Zuckmayer 1949 das Schauspiel „Barbara Blomberg". Albrecht Dürer hat von seiner Mutter, Barbara Holper, 1514 eine einprägsame Kohlezeichnung gefertigt.

Bekannte Namensträgerinnen

Barbara Rütting (*1927), Schauspielerin, Barbara Auer (*1959), deutsche Schauspielerin; Barbara Sukowa (*1950), Theater- und Filmschauspielerin, vor allem bekannt geworden durch Fassbinder-Filme („Lola"); Barbara Rudnik, erfolgreiche Fernsehschauspielerin; Barbara Ritter, deutsche Tennisspielerin; Barbara Eligmann, Fernsehmoderation („Explosiv") mit mehr als fünf Millionen Zuschauern täglich; Barbra Streisand (*1942), amerikanische Sängerin, Schauspielerin und Regisseurin.

Kurzformen

Bab, Barb, Barbe, Barbi, Barbli, Bärb, Bärbel; englisch Babs;

Fremdsprachige Namensformen

Französisch Barbe; niederländisch Babje, Barry, Berbe, Berbel; dänisch/norwegisch Barbra; schwedisch Babro, Barbro.

Namenstag

4. Dezember, 29. Januar.
Von altersher ist der Barbaratag (4. Dezember) am Rhein ein Tag, an dem Kinder Geschenke bekommen.

Beat, Beate, Beatrice

Herkunft und Geschichte

Die männliche Kurzform Beat und die verwandte weibliche Form Beatrice „die Glückbringende“ sind in der Schweiz sehr beliebte Abwandlungen des Heiligennamens Beatus „der Glückselige“. Im süddeutschen Raum sind Beate, Beatrice und die lateinische Form Beatrix beliebt geworden. „Beatus, Beata“ nennt man die männlichen bzw. weiblichen Seliggesprochenen der katholischen Kirche.

Der heilige Beatus war nach einer Legende des 10. Jahrhunderts der erste Glaubensbote in der Schweiz und lebte als Einsiedler in einer Höhle bei Beatenberg am Thuner See.

Bis 1979 stand Beat in der Schweiz an 9. Stelle der beliebtesten Vornamen, seither ist die Tendenz rückläufig.

Kurzformen

Oberdeutsch Bates; schweizerisch Batt.

Fremdsprachige Namensformen

Französisch Béat, Bié; italienisch/spanisch Beato; niederländisch Beatus.

Namenstag

9. Mai.

Beate, Beatrice

Die weiblichen Formen Beate und Beatrix waren früher im Wechsel gebräuchlich. Beatrix war schon im 12. Jahrhundert im Rheinland stark verbreitet durch Beatrix von Burgund (1140–1184), seit 1156 zweite Gemahlin Kaiser Friedrich Barbarossas. In den siebziger Jahren wurde der Name durch die niederländische Thronfolgerin und heutige Königin der Niederlande, Beatrix (*1938), populär.

Die italienische Namensform von Beatrix, „Beatrice“, erlangte Berühmtheit durch Beatrice Protinari, die Jugendliebe des italienischen Dichters Dante („Die göttliche Komödie“) und durch die Gestalt der Beatrice in Shakespeares Schauspiel „Viel Lärm

um nichts". Beatrice stand 1979 an 7. Stelle der seit 25 Jahren beliebtesten Vornamen in der Schweiz, seither ist die Tendenz rückläufig.

Bekannte Namensträgerinnen

Beatrice Ferolli (*1932), Schriftstellerin, Hochschulprofessorin in Wien; Beate Finckh, Schauspielerin.

Kurzformen

Bea, Beda, Trix, Trixa, Trixi; niederrheinisch Baetz, Baitze, Peitze, Peitzgen, Bötzgen.

Fremdsprachige Namensformen

Englisch Beata, Beatrix, Beatrice, Bee, Bice, Trix, Trixie; französisch Béate, Béatrice, Béatrix, Bice; spanisch Beata, Beatriz; friesisch Baetsje.

Namenstage

Beate 8. März, 8. April, 29. Juni;
Beatrix 30. Juli, 12. März, 6. November.

Benjamin

Herkunft und Geschichte Benjamin ist ein biblischer Name aus dem Hebräischen; *binjāmin* bedeutet „Sohn der rechten, d.h. der glücklichen Hand; Glückssohn“. Die Bibel berichtet in Genesis 35,18 über die Namengebung. Als Benjamins Mutter Rachel bei seiner schweren Geburt „das Leben entwich und sie sterben musste, nannte sie ihn Ben-Oni (Sohn meines Unheils), aber sein Vater Jakob nannte ihn Ben-Jamin (Sohn des Glücks)“.
Mit der wachsenden Vorliebe der Reformierten für alltestamentliche Namen im 16. Jahrhundert in der Schweiz, in England und in Nordamerika wurde Benjamin beliebt; bei den Evangelischen wie bei den Reformierten wurden Söhne gerne Benjamin genannt.
In der Bundesrepublik ist Benjamin seit 1982 Neuling in der Spitzengruppe, 1984 stand er an 7., 1985 an 8. Stelle unter den 10 beliebtesten Vornamen. In Österreich erreichte er 1984/86 den 41., in der Schweiz, in Bern, 1986 den 22. Platz.

Bekannte Namensträger Benjamin Franklin (1706–1790), US-amerikanischer Politiker, Schriftsteller und Naturforscher; Benjamino Gigli, italienischer Tenor (1890–1957); Benjamin Britten, englischer Komponist (1913–1976(; Ben Kingsley (*1943), englischer Schauspieler und Oscarpreisträger; Ben Becker, junger deutscher Schauspieler auf dem Weg nach oben.

Kurzformen Ben, Beno, Benno; schwäbisch Bienes, Bines.

Fremdsprachige Namensformen Englisch Ben, Benny, Benjy, Benjie; italienisch Benjamino; russisch Veniamin; ungarisch Benjámin, Béni, Benö.

Namenstag 14. Januar.

Bernd, Bernt

Herkunft und Geschichte

Das sind gewählte moderne Kurzformen des alten deutschen Rufnamens Bernhard, der sich ableitet von bero „Bär“ und harti (althochdeutsch) „hart, ausdauernd“. Bernhard und die romanisch beeinflusste Form Bernard waren schon im 8./9. Jahrhundert sehr häufig. Die Kurzform Bernd war im 14. Jahrhundert im Münsterland oft anzutreffen. In dieser Zeit wurde Bernhard von Clairvaux (1090–1153), der zweite Gründer des Zisterzienserordens (Bernhardiner) als hochverehrter Heiliger populär. Bernhard verbreitete sich über viele Klöster in ganz Europa.
Der volle Name Bernhard blieb bis in die Neuzeit beliebt, besonders in Baden-Württemberg.

Bekannte Namensträger

Bernhard Grzimek (1909–1987), Zoologe und Tierfilmer, der sich vehement für das Überleben wildlebender Tiere in Afrika einsetzte; Bernhard Langer (*1957) erfolgreicher deutscher Profigolfspieler; Bernhard Minetti, einer der großen Theaterschauspieler dieses Jahrhunderts; Bernhard Wicki (*1919), österreichisch-schweizerischer Schauspieler und Regisseur; Bernd Kannenberg, Leichtathlet; Bernd Schuster (*1959), Fußballspieler; Bernd Eichinger, Deutschlands erfolgreichster Filmproduzent („Die unendliche Geschichte“, „Der Name der Rose“, „Das Geisterhaus“, „Fräulein Smillas Gespür für Schnee“); Bernardo Bertolucci (*1941), italienischer Filmregisseur.

Kurzformen

Berni, Berno, Bero, Benne; englisch Bernie; friesisch Baernd, Barnd, Bean, Bearn, Bearnt, Beart.

Fremdsprachige Namensformen

Englisch und französisch Bernhard; italienisch Bernardo.

Namenstag

20. August.

Björn

Herkunft und Geschichte

Dieser heute beliebte nordische Name kommt bereits im 9. Jahrhundert in Runeninschriften des Nordens vor; er kommt aus dem Schwedischen. *Björn* bedeutet „Bär“, und die Bedeutung „der Bärenstarke“ mag der Wunsch mancher Eltern bei der Entwicklung ihres Sprösslings gewesen sein. Ein schwedischer König Björn war um 830 früher Namensträger. In der isländischen Fridthjofssaga des 14. Jahrhunderts ist Björn der tapfere Waffengefährte des Helden Fridthjof. Früher war der Name im ganzen Norden verbreitet, in Dänemark und Norwegen als Bjørn, Bjørnar oder Bjørnulv. Der Name wurde in der Nachkriegszeit in Norddeutschland immer beliebter. 1973 lag Björn in Hamburg noch an 29. Stelle, fünf Jahre später, 1978, bereits an 5., 1981 in Kiel an 4. Stelle.

Bekannte Namensträger

Björn Borg (*1956), schwedischer Tennisspieler, mehrfacher Wimbledonsieger, der seine Profilaufbahn beendet hat; Björn Engholm (*1939), von 1988 bis 1993 Ministerpräsident des Landes Schleswig-Holstein.

Weitere Namensformen

Bjarne ist eine norwegische Nebenform von Björn und entspricht dem schwedischen Biärne. Björne (seit 1933) und Björner (seit 1882) sind schwedische Weiterbilungen zu Björn.

Namenstage

15. und 18. Juni,
24. Juli, 20. August.

Brigitte, Britta, Birgit, Birgitta

Herkunft und Geschichte

Der ältere Name Brigit ist keltisch-irischen Ursprungs, sein irischer Wortstamm *brigh* bedeutet „von großer Stärke, Geistes- und Willenskraft". Die frühe Verbreitung dieses Namens geht auf die Verehrung der Äbtissin Brigida von Irland zurück (um 450–523), eine irische Nationalheilige. Brigida ist die latinisierte Form von Brigitta. Im 10. Jahrhundert fand der Name in Norwegen Eingang; seit dem 13. Jahrhundert ist die Umbildung Birgitta in Schweden bekannt. Die heilige Birgitta (um 1303–1373), Tochter einer schwedischen Adelsfamilie, stiftete nach einer Pilgerfahrt nach Santiago de Compostela um 1346 den Birgitten-(Erlöser-)Orden.
Brigitte war bis um 1960 ein sehr beliebter Name, der 1957/58 die 4. Stelle innehatte. Die verwandten Namen Britta, Birgit, Birgitta und Birte standen 1961 bis 1974 in der Gesamtwertung fast gleichwertig an 10. und 11. Stelle. Birgit erreichte 1984/85 in Niederösterreich den 12., in der Steiermark den 14., in Kärnten den 20. Platz. Britta erreichte 1970/71 in Flensburg und Kiel die 5. Stelle.

Bekannte Namensträgerinnen

Brigitte Horney (1911–1988), Brigitte Mira (*1915), Schauspielerinnen; Brigitte Fassbaender, Kammersängerin; Brigitte Kraus, erfolgreiche Läuferin von 1978 bis 1983; Brigitte Bardot, französische Filmschauspielerin; Birgit Breuel (*1937), ehemals niedersächsische Finanzministerin, Vorsitzende der inzwischen aufgelösten Treuhandgesellschaft und jetzt mit der Vorbereitung der EXPO 2000 in Hannover beschäftigt; Gitte Haenning (*1946), dänische Schlagersängerin mit Hang zum Jazz.

Kurzformen

Brid, Brida, Briga, Britt, Gita, Gitta; nordisch Birgit, Birthe, Birte, Britta, Britten, Bitte, Gitte, Rita.

Namenstage

Brigitte 1. Februar; Birgitta 23. Juli, 7. Oktober.

Christian, Christina

Christian

Herkunft und Geschichte

Die große Verbreitung der Namen Christian, Cristan und Cristianus in Köln und im Rheinland vom 10. Jahrhundert an geht auf die *christiani* (althochdeutsch), die Anhänger Christi, zurück. Nach der Reformation wurden dänische Könige, schleswig-holsteinische, braunschweigische und sächsische Fürsten Namenvorbilder.
Christian stand in der Gesamtwertung 1961 bis 1974 noch an 7. Stelle, um dann mit einer Beliebtheit sondergleichen von 1977 an bis 1988 unentwegt die 1. Stelle einzunehmen. Bis heute rangiert der Name, zumindest in den alten Bundesländern, ununterbrochen unter den ersten 10 in der Beliebtheitsskala. 1996 stand er zum Beispiel auf Platz 6.
Das norddeutsche Volkslied „Wo mag denn nur mein Christian sein, in Hamburg oder Bremen?“ entspringt einem Kirmestanz aus dem 18. Jahrhundert. Die rheinische Redensart „De hät em der Krestian gesonge“ meint „er hat ihm gründlich die Wahrheit gesagt“. Oder: „Wenn et net annersch es, dann schlöf de Mäd (Magd) beim Kres (Christian)“, besagt: „Man muss sich nur zu helfen wissen.“

Bekannte Namensträger

Der dänische Märchenerzähler Hans Christian Andersen (1805–1875); der Lyriker Christian Morgenstern (1871–1914); der französische Modeschöpfer Christian Dior (1905–1957); Christian Schwarz-Schilling (*1930), CDU-Politiker; Christian Haas, erfolgreicher 100-m-Läufer von 1983; Christiaan Barnard (*1922), südafrikanischer Herzspezialist, der die 1. Herztransplantation am Menschen durchführte; Christian Neureuther (*1949), deutscher Skiläufer; Christian Quadflieg (*1945), erfolgreicher deutscher Seriendarsteller („Der Landarzt“); Christian Wolff, Film- und Fernsehschauspieler, der vor allem durch

die Familienserie „Forsthaus Falkenau“ berühmt wurde; Christian Anders, ehemaliger Schlagerstar, der heute als Guru der Esoterik-Bewegung auftritt.

Kurzformen

Chris, Christ, Christel; niederdeutsch/niederrheinisch Kars, Karst, Karsten, Kassen, Kasten, Kerst, Kersten, Kerstgen, Chrs, Chresten, Kors, Korsten, Korstgen; rheinisch Kres, Krest, Kresten, Krestian, Krischan; schweizerisch Chrisch, Chrischo (Graubünden), Kress; rätoromanisch Cristian, Crest.

Fremdsprachige Namensformen

Englisch Christian, Chris, Cris; französisch Chrestien, Chréstien; italinienisch Cristiano; spanisch Cristián; baskisch Kistain; niederländisch Christiaan, Cors, Corstiaan, Korstiaan, Kers, Kris, Krist, Kristiaan; dänisch/schwedisch/norwegisch Kristian, Kristen, Christer, Krister; polnisch Krystian.

Namenstage

14. Mai, 4. Dezember.

Karsten, Carsten

Karsten, Carsten, die alte niederdeutsche Form von Christian, wurde in neuerer Zeit oft gewählt, stand schon 1967 in West-Berlin an 5., 1974 in Bielefeld an 11. Stelle und wurde in Hamburg, Niedersachsen und Südwestdeutschland immer beliebter.

Literatur

„Carsten Curator“, Novelle (1878) von Theodor Storm.

Namenstag

wie bei Christian.

Christina, Christine, Christiane

Herkunft und Geschichte

Christina, Christine, Christiane sind die weiblichen Formen zu Christian, als „Christin, Anhängerin Christi“ zu verstehen. Cristina, Christina war bereits im 12. Jahrhundert im Raum Köln sehr häufig verbreitet.

Christine, seit Ende des Zweiten Weltkrieges häufig, stand 1961 bis 1974 in der Gesamtwertung an 5., Christiane an 6. Stelle. 1978 war Christine, Christian folgend, in der Bundesrepublik an die 1. Stelle gerückt; 1980 wurde sie von Stefanie verdrängt, hielt aber 1987 die 3. Stelle. Christine stand in Bern 1984 an 10., Christina in Zürich an 18., in Österreich an 19. Stelle.
Christina ist zwar der Name zahlreicher Heiligen, doch waren es zwei weltliche Damen, die für die Verbreitung des Namens sorgten: in Frankreich die Dichterin Christine de Pisan (1363–1432); in Europa die Königin Christine von Schweden (1626–1689), die außergewöhnliche Tochter Gustav Adolfs, die alle Heiratsbewerber ablehnte, 1654 abdankte, ein Jahr darauf katholisch wurde, danach in Rom den Künsten und Wissenschaften lebte und dort starb.

Literatur

„Kristina", Drama (1903) von August Strindberg; „Nachdenken über Christa T.", Roman (1968) von Christa Wolf.
Christiane wurde erst im Bürgertum des 18. Jahrhunderts bekannt. Zu erwähnen ist Goethes Frau, Christiane Vulpius (1765–1816), von Charlotte von Stein „Goethes dickere Hälfte" genannt.
Ein rheinisches Volkslied, Anfang des 19. Jahrhunderts, beginnt mit „Christinchen ging' in Garten/Drei Rosen zu erwarten ...". Von dort stammt auch die Redensart: „Sting (Christine), Tring (Kathrine) on Drück (Gertrud) heschen alle Burelück (Bauersleute)".

Bekannte Namens trägerinnen

Christine Brückner (1921–1997), Schriftstellerin; Christine Kaufmann (*1945), Schauspielerin und Autorin; Christine Neubauer (*1962), Schauspielerin; Christa Kinshofer, erfolgreiche Skiläuferin, seit Beendigung ihrer Karriere als Unternehmerin tätig; Christiane Hörbiger (*1938), Schauspielerin; Christine Nöstlinger, erfolgreiche österreichische Kinderbuchautorin; Chris Ewert, amerikanische Tennisspielerin, die ihre überaus erfolgreiche Laufbahn inzwischen beendet hat.

Kurzformen

Christa, Christel; bayerisch Christl, Stindl; alemannisch Christinle, Christingele; niederrheinisch Sting, Stintge, Stin, Stina, Stine, Stinn, Stineken, Tina, Tine. Die Kurzform Christin ist nicht empfehlenswert, weil sie mit dem Allgemeinbegriff „Christin" verwechselt werden kann.

Fremdsprachige Namensformen

Englisch Christina, Christine, Cristina, Chris, Chrissy, Kirsty (schottisch); französisch Christine, Christiane, Chrétienne; italienisch/spanisch Cristina, Cristiana; niederländisch auch Christien, Christiena, Christy, Corstina, Karstje, Kerstje, Stien, Stiene; dänisch Kirstine, Kirsten, Kerstin; norwegisch Kristine, Kirsten, Kirsti, Tina; schwedisch Kristina, Kersten, Kerstin, Stina.

Namenstag

24 Juli.

Kerstin, Kirstin, Kirsten

Kerstin, Kirstin, Kirsten sind heute beliebte nordische Formen zu Christina. Kirsten stand 1961 bis 1974 in der Gesamtwertung der Bundesrepublik an 7., Kerstin 1977 an 9. Stelle, 1984/86 in Österreich an 28. Stelle. Kristin, die nordische Kurzform, wurde am 2.10.1970 vom Bayerischen Oberlandesgericht als weiblicher Vorname anerkannt. Der Name war am 11.6.1965 als männlicher Vorname vom Landesgericht Hildesheim abgelehnt worden.
Nina, eine Kurzform zu Christiane, aber auch von Antonina, Janina, Katharina, hat in den letzten Jahren an Beliebtheit außerordentlich gewonnen.

Christoph

Herkunft und Geschichte

Der Name ist aus dem griechischen Christophóros, wörtlich „Christus tragend", hervorgegangen. Er bildete sich aus der Legende: Ein Märtyrer in Lykien um 250 war „ein riesenhafter Fährmann, der das Jesuskind übers Wasser trug." Die zahlreichen Darstellungen des „Christusträgers" als überlebensgroßen Riesen förderten die Namengebung, insbesondere die Tafelmalerei des 15./16. Jahrhunderts: Konrad Witz, um 1440 in Basel; Dierick Bouts (München, Alte Pinakothek). Martin Luther hat die Christophoruslegende 1529 so erklärt: „Du sollst wissen, dass Christophorus nicht eine Person ist, sondern ein Ebenbild aller Christen. Die Geschichte will nicht eine Historie sein, sondern will das christliche Leben vor Augen halten."
Namenvorbilder des Mittelalters waren: Herzog Christoph aus Bayern (1449–1493); Herzog Christoph von Württemberg (1515–1568) führte in seinem Land die Reformation durch; Christoph Kolumbus (1446–1506) entdeckte (1492–1504) Amerika.
Christoph erfreute sich vor einigen Jahren zunehmender Beliebtheit: In Basel erreichte er 1966 die 6. Stelle; in Bonn schwankte er 1978 bis 1985 zwischen der 2. und der 10., in Kiel 1981 bis 1986 zwischen der 8. und der 4. Stelle. In Österreich stand Christoph 1984/86 an 7. Stelle, in der Schweiz ist er seit 1979 in der Spitzengruppe. Inzwischen gehört Christoph nicht mehr zu den Namen unter den ersten 10 der Beliebtheitsskala.

Bekannte Namensträger

Christoph Willibald Gluck (1714–1787), deutscher Opernkomponist („Orpheus und Eurydike"); Christoph Martin Wieland (1733–1813), deutscher Dichter der Aufklärung; Christo (*1835) bulgarisch-amerikanischer Künstler, dessen Kunstform spektakuläre Verhüllungsaktionen sind (Berliner Reichstag 1996); Christopher Reeve, amerikanischer Schauspieler, der als „Superman" weltberühmt wurde und seit einem tragischen Unfall an den Rollstuhl gefesselt ist.

Chris, Christe, Christo, Christoff, Kristoff, Stoffel, Stöffel, Stoffer; rheinisch Stoffges, Toffel, Toff.

Kurzformen

Englisch Christopher, Chris, Kit; französisch Christophe; italienisch Cristoforo; spanisch Cristóbal; niederländisch Christoffel; russisch Crystafor, Krystof

Fremdsprachige Namensformen

24. Juli.

Namenstag

Claudia

Herkunft und Geschichte

Claudia ist die weibliche Form zu Claudius. Ursprünglich war Claudia der Name einer Familie der Sabiner, bezogen auf das altrömische Geschlecht der Claudier, das die ersten Kaiser stellte. Die Bedeutung lässt auf einen früheren Beinamen schließen, denn lateinisch *claudus* bedeutet „lahmend, auf schwachen Füßen stehend".

Neben Claudius war im 18./19. Jahrhundert nur die weibliche Form Claudine geläufig. Goethe schrieb 1776 sein Jugenddrama „Claudine von Villa Bella". Von Arnold Zweig sind die „Novellen um Claudia" (1912) bekannt. Claudia stand 1961 bis 1974 in der Gesamtwertung der Vornamen an 3., 1975 an 10. Stelle in der Bundesrepublik, danach nur noch regional (1981, 1984 in Freiburg/Breisgau, in Groß-Gerau) unter den ersten 10 Mädchennamen. In Österreich hielt Claudia 1984 die 3. Stelle; in der Schweiz gehört der Name seit 1979 zur Spitzengruppe; in Bern belegte er 1979/80 den 5., in Zürich 1984/85 den 4. Platz.

Bekannte Namensträgerinnen

Claudia Cardinale (*1939), italienische Filmschauspielerin; Claudia Leistner (*1965), Eiskunstläuferin; Claudia Nolte, CDU-Mitglied und jüngste Bundesministerin seit Bestehen der Bundesrepublik (Bundesministerium für Familien, Senioren, Frauen und Jugend); Claudia Schiffer (*1970), deutsches Topmodel.

Andere Schreibung

Klaudia. Nebenform: Klodia, Clodia.

Fremdsprachige Namensformen

Englisch Claudia, Claudina, Gladys; französisch Claude, Claudine, Claudinette; schwedisch Klaudia; russisch Klavdija, Klavda.

Namenstag

18. August

Corinne, Corinna

Herkunft und Geschichte

Corinne, Corinna gehört zum alten griechischen Frauennamen Korinna, bekannt durch die gleichnamige Dichterin aus Tanagra in Böotien, um 510 v.Chr. Zeitgenossin des Pindar. Korinna ist eine Weiterbildung von Kora, Kore, Koria, von *korae* (griechisch) „Jungfrau, Mädchen". Kora ist zugleich der Beiname der ewig jungfräulichen griechischen Göttin Athene in Arkadien, Tochter des Zeus'. Der Name Corinna wurde im 17./18. Jahrhundert neu belebt durch die Dichtkunst, insbesondere durch den englischen Dichter Robert Herrick („Hesperides", 1648, danach „Poems", 1905).
Die französische Form Corinne verbreitete sich durch den gleichnamigen Roman „Corinne" (1807, deutsch 1926) von Anna Louise Germaine de Staël-Holstein. Die Heldin des Romans, Tochter eines englischen Vaters und einer italienischen Mutter, ist eine berühmte Dichterin auf dem Capitol in Rom. Die Verfasserin selbst hat eine Italienreise und die Liebesbeziehung zu einem jungen Diplomaten zum Anlass genommen, eine tragische Liebe psychologisch analysierend darzustellen.
In der Schweiz war Corinne noch 1984 unter den beliebtesten Mädchennamen seit 25 Jahren und stand in Bern 1984 an 20. Stelle. In Österreich wird Corinna deutlich bevorzugt.

Nebenformen

Corina, Corine, Korinna, Korinne; die seltene Form Corrinne ist nicht zu empfehlen.

Kurzformen

Cora, Corin, Kora.

Fremdsprachige Namensformen

Englisch Corinna, Corrina, Correne, Cora, Kora, Koren; französisch Corinne; italienisch Corinna; spanisch Corina; niederländisch Corine, Corien, Corinna, Corinne; russisch Karina; polnisch Korynna; schwedisch Korinna.

Namenstag

22. Oktober.

Cornelia

Herkunft und Geschichte Cornelia, auch Kornelia, ist seiner Herkunft nach ein römischer Frauenname, die weibliche Form zu Cornelius, zur altrömischen Familie der Cornelier gehörend. Der Name wird auf *cornu* (lateinisch) „Horn" bezogen, das Attribut der Flussgötter, Symbol der Widerstandskraft und Stärke. Die berühmte Cornelia, Mutter der Gracchen (†um 110 v.Chr.) wurde in der Zeit der Renaissance Namenvorbild bei Gelehrten- und Fürstenfamilien. Im 18./19. Jahrhundert entdeckten deutsche Bürgerfamilien den Namen für sich (Goethes Großmutter und Schwester hießen Cornelia). In der Nachkriegszeit gehörte Cornelia zu den 50 beliebtesten Vornamen im deutschsprachigen Raum. 1979 lag der Name in der Schweiz in der Spitzengruppe, seither nimmt seine Beliebtheit ab.

Bekannte Namensträgerinnen Cornelia Froboess (*1943), früher Kinderstar („Pack' die Badehose ein"), Schlagersängerin, heute erfolgreiche Charakterdarstellerin; Cornelia Nitsch und Cornelia von Schelling, zwei selbstbewusste Mütter und Verfasserinnen von „Das andere Baby-Buch", 1987; Connie Francis, Schlagersängerin.

Kurzformen Conny, Corry, Lia, Nel, Nele, Neli, Nelia, Nella, Nelly.

Fremdsprachige Namensformen Englisch Cornelia, Cornela, Cornelle, Cornell, Connie, Cor, Corrie, Nellie; französisch Cornélie; niederländisch Cornelieke, Corneliske, Cock, Cok, Cokkie, Kee, Keike, Keke, Knella, Neel, Neelke, Nelie, Nelske; norwegische Kurzform Cora; russisch Kornelija.

Namenstag 16. September.

Daniel, Daniela

Herkunft und Geschichte

Der biblische Name Daniel meint mit *dãnijjẽ'l* (hebräisch) „mein Richter ist Gott“. Der Prophet Daniel (um 540 v.Chr. in Babylon) ist der Held des alttestamentarischen Buches Daniel. Die Geschichte von „Daniel in der Löwengrube“ förderte die Namenverbreitung seit der Reformation.

Daniel belegt sowohl in der Schweiz als auch in der Bundesrepublik und in Österreich seit Ende der 70er Jahre regelmäßig Spitzenplätze auf der Beliebtheitsskala.

Literatur

„Robinson Crusoe“ von Daniel Defoe.

Bekannte Namensträger

Daniel Barenboim, Pianist und Dirigent; Daniel Cohn-Bendit, Mitglied der Grünen, Repräsentant der 68-er Bewegung; Daniel Day-Lewis (*1958), englischer Schauspieler und Oscarpreisträger („Mein linker Fuß“); Danny De Vito (*1944), amerikanischer Schauspieler, Produzent und Regisseur.

Fremdsprachige Namensformen

Englisch Daniel, Dan, Danny; italienisch Daniele, Danilo; niederländisch Daniel, Daen, Daneel; südafrikanisch Danie, Niel; russisch Danila, Danel; ungarisch Dános.

Daniela

Daniela, die weibliche Form zu Daniel, stand 1979 bis 1986 in der Schweiz in der Spitzengruppe, in der Bundesrepublik abwechselnd auf dem 8. bis 19. Platz. In Österreich konnte Daniela 1984 und 1986 den 1. Platz erreichen.

Bekannte Namensträgerin

Daniela Ziegler, Schauspielerin und Musicalsängerin („Sunset Boulevard“).

Namenstag

Für Daniel und Daniela: 21. Juli.

David

Herkunft und Geschichte

Dieser biblische Name kommt aus dem Hebräischen; dävid heißt „Geliebter, Liebender“, wird aber auch mit „Verbinder, Vereiniger“ übersetzt. Namenvorbild war König David (um 1000–965 v.Chr.), der im Kampf gegen die Philister den Riesen Goliath besiegte; David vereinigte Juda und Israel zu einem jüdischen Reich mit der Hauptstadt Jerusalem und gilt als Verfasser vieler Psalmen.
David ist seit 30 Jahren einer der populärsten männlichen Vornamen in England, Nordamerika und Australien. In der Schweiz ist David seit 1979 in der Spitzengruppe. In der Bundesrepublik stand David 1984 in Tübingen an 9., in Darmstadt an 10. Stelle. In den neuen Bundesländern war er 1991 auf dem 9. und 1992 auf dem 10. Platz. In Österreich erreichte der Name 1984/86 Platz 23.

Bildende Kunst

„König David“, Tafelgemälde (1610) von Peter Paul Rubens. „David“ (1501–1504) von Michelangelo.

Bekannte Namensträger

David Livingstone (1813–1873), englischer Forschungsreisender, der die Sambesi-Wasserfälle in Afrika entdeckte; Caspar David Friedrich 1774–1840), deutscher Maler der Romantik; David Oistrach (1908–1974), russischer Violinvirtuose; David Ben Gurion (1886–1973), israelischer Politiker und Gründungsvater des Staates Israel; David Bowie (*1948), englischer Rockmusiker und Schauspieler; David Copperfield, amerikanischer Zauberkünstler, Illusionist; David Hasselhoff (*1952), amerikanischer Sänger und Serienheld.

Fremdsprachige Namensformen

Englisch David, Dave, Daw, Davy, Taffy, Nebenformen Davis, Davies; italienisch Davide; niederländisch David, Daaf; südafrikanisch Dawie; baskisch Dabi; russisch Davyd; polnisch Dawid.

Namenstag

29. Dezember.

Denis, Dennis, Denise

Herkunft und Geschichte

Ein Name englischer und französischer Herkunft mit verschiedenen Aussprachen: auf deutsch de:nis; auf englisch ‘denis; auf französisch de’ni:. In allen Fällen geht der Name zurück auf den griechischen Götternamen Dionysos und zugleich auf den häufigen altgriechischen Männernamen Dionysios. Dionysos „der Fröhliche“ mit dem Beinamen Bacchus war der Gott des Weins, sein Kult wurde um 200 v.Chr. in Rom eingeführt. Ein heiliger Dionysius war erster Bischof von Paris und Märtyrer im Jahre 258. Die Verehrung dieses westfränkischen Nationalheiligen drang im Mittelalter nach England vor. Denis konnte sich auch nach der Reformation dort halten.
Die Nebenform Dennis stand 1978 in Hamburg an 4. Stelle und war 1981 in Bielefeld, Celle, Kiel und Nordhorn unter den ersten 10. 1985 erreichte Dennis in der Bundesrepublik die 9., 1986 die 7. Stelle. Die Dennis-Welle lässt sich wohl auf amerikanische Einflusse zurückführen. In den USA stand der Name 1975 zwar nur an 50. Stelle, aber in einzelnen Bundesstaaten und auch in Kanada war Dennis unter den beliebtesten 20 Namen platziert.
Der weibliche Vorname Denise hat geringere Verbreitung gefunden. In Bern erreichte er 1980 den 17. Platz.

Bekannte Namensträger und Namensträgerinnen

Dennis Hopper (*1936), amerikanischer Schauspieler, Regisseur und Sammler moderner Kunst; Dennis Quaid (*1954), amerikanischer Schauspieler („Der große Leichtsinn“); Denise Bielmann (*1962), schweizerische Eislaufkünstlerin, die durch die „Bielmann-Pirouette“ Aufsehen erregte.

Weitere fremdsprachige Namensformen

Dänisch Dines; niederländisch Denijs, Nies, Nijs; friesisch Nis, Nys, auch Nisse; ungarisch Dénes, Dienes, Dini.

Namenstag

9. Oktober.

Dieter, Dirk

Herkunft und Geschichte

Die Kurzformen Dieter und Dirk haben einen gemeinsamen Stammvater: den alten deutschen Rufnamen Dietrich, von diot (althochdeutsch) „Volk" und riche (althochdeutsch) „mächtig, reich, Herrscher", mit der älteren Form Theoderich. Mehrere Könige der Ostgoten und Westgoten führten den Namen Theoderich. Die mittelalterlichen Heldendichtungen berichten über Theoderich den Großen, König der Ostgoten (456–526). Sein Grabmal und die Reste seines Königspalastes sind heute noch in Ravenna zu sehen. Der im Mittelalter weit verbreitete Name wurde durch seine Kurzformen im 20. Jahrhundert beliebt. Während der niederdeutsche und niederländische Dirk, Dierk häufiger bis zum Zweiten Weltkrieg gebräuchlich war, erreichte die moderne Form Dieter in der Nachkriegszeit größere Beliebtheit. Dieter stand 1957/58 in der Bundesrepublik an 14. Stelle. Dirk gehörte in mehreren Städten zur Spitzengruppe und erreichte 1966 bis 1969 in Flensburg die 4. Stelle, 1970 in Ost-Berlin die 6. Stelle. Die englische Namensform „Derrick" wurde durch die beliebte Krimiserie zwar nicht als Vorname populär, ist aber dennoch in aller Munde.

Bekannte Namensträger

Dieter Hildebrand (*1928), Schauspieler, Kabarettist; Dieter Hallervorden, Schauspieler; Dieter Krebs (*1947), Schauspieler; Dieter Thoma, deutscher Skispringer; Dieter Thomas Heck (*1935), einer der erfolgreichsten Funk- und Fernsehmoderatoren; Dieter Baumann (*1965), deutscher Langstreckenläufer; Dieter Kürten (*1935), Sportjournalist und Fernsehmoderator.

Kurzformen

Niederdeutsch/friesisch Deter, Dieder, Diede, Dietje, Dider, Dido, Tide, Tido, Tiede; Derek, Derik, Derk, Dierk, Tjerk, Tjark, englisch Derek, Derrick; niederländisch Derk, Dirk, Dick, Diek; französisch Thierri, Thierry.

Namenstag

2. Februar.

Dominik

Herkunft und Geschichte

Dominik kommt von *dominicus* (lateinisch) in der Bedeutung „dem Herrn gehörig"; nach Überlieferung der Kirchenväter ist damit Jesus Christus gemeint. Namengebend wurde der heilige Dominikus aus El Burgo in Nordspanien. Er gehörte dem Chorherrenstift Osma an, sein spanischer Name: Domingo Guzman. Als Wanderprediger in Südfrankreich sammelte er bekehrte Albigenser zu einer Genossenschaft und gründete 1216 in Toulouse eine Predigergemeinschaft, die sich als Mönchsorden der Dominikaner im 13. Jahrhundert über ganz Europa und weiter bis nach Asien ausbreitete. Die Dominikaner, in Frankreich auch Jakobiner genannt, waren der einflussreichste Orden des Mittelalters; als wichtiger Teil der katholischen Kirche und auch heute noch bedeutender Orden sorgten sie für die Verbreitung des Namens ihres Stifters.
In der Schweiz ist Dominik neben Dominic in den letzten Jahren zusehends unter die beliebtesten Jungennamen gekommen. In Bern stand Dominik 1984 an 21., 1985 an 18. Stelle, Dominic 1986 an 21. Stelle.
Die Staaten „Republik Dominica" und „Dominikanische Republik", früher „San Domingo", führen ihren Namen auf den Ordensstifter Dominikus zurück.

Bekannter Namensträger

Dominik Graf, Sohn des Schauspielers Robert Graf, der in die Fußstapfen seines Vaters trat, sich aber vor allem als Regisseur spannender Krimis einen Namen gemacht hat.

Fremdsprachige Namensformen

Englisch Dominic, Dominick; französisch Dominique, Doménique; italienisch Domenico; spanisch Domingo, Mingo; baskisch Domiku; niederländisch Dominicus, Domien, Dominik, Mien, Minikus, Minkes; russisch Dominik; ukrainisch Domenik; ungarisch Domenkos, Domos, Doman.

Namenstag

8. August.

Doris

Herkunft und Geschichte

Doris war ein in der Antike beliebter und oft vorkommender Frauenname mit der Bedeutung „die Dorerin“, auf Döris, die Stammlandschaft des dorischen Volkes in Mittelgriechenland bezogen. Doris bedeutet auch „die von der See“, womit die von den Dorern besiedelte kleinasiatische Westküste gemeint ist. Darüber hinaus ist der Name auch eine Kurzform von Dorothea mit der Bedeutung „Geschenk Gottes“.
Um die Jahrhundertwende kamen Doris und Dora als Kurzformen von Dorothea auch im deutschsprachigen Raum in Mode. Vor allem in England war der Name Doris zwischen 1900 und 1925 weit verbreitet. Seine Bedeutung dort geht zurück auf die Meeresnymphe Doris der griechischen Mythologie, die dem Meeresgott Nereus verbunden war und Mutter der Nereiden, der fünfzig Nymphentöchter, wurde.
1965 bis 1974 war Doris lokal und regional in Kiel, Niedersachsen, München, Linz, Wien und Bern verbreitet. Noch 1979 stand Doris an 15. Stelle der in der Schweiz seit 25 Jahren beliebtesten Mädchennamen, seither ist die Tendenz rückläufig.

Bekannte Namensträgerinnen

Doris Lessing (*1919), englische (südafrikanische) Schriftstellerin (sie beschreibt das Rassenproblem in Afrika und das Leben der Frau in einer vom Mann bestimmten Welt); Doris Day (*1924), amerikanische Filmschauspielerin; Doris Dörrie (*1955), Filmregisseurin des erfolgreichen Kinohits „Männer“; sie hat in letzter Zeit einige Bücher mit hochgelobten Kurzgeschichten veröffentlicht.

Englische Varianten

Dorice, Dorise, Dorris, Dorita, Doria, Dory.

Namenstag

6. Februar.

Elisabeth, Lisa

Herkunft und Geschichte

Der biblische Name Elisabeth ist die Ausgangsform zu zahlreichen beliebten Kurzformen in allen Ländern geworden. *Elischeba* (hebräisch) ist mehrdeutig: „die Gott verehrt, die bei Gott schwört" oder „Gott ist mein Eid". Ursprünglich wurde Elisabeth, die Mutter Johannes des Täufers, verehrt. Doch erst durch die ungarische Königstochter Elisabeth, Landgräfin von Thüringen und Hessen, wurde der Name im Mittelalter volkstümlich und verbreitete sich im Abendland. Elisabeth, seit 1227 als Witwe auf dem Landgrafenschloss in Marburg (Lahn), widmete sich der Armen- und Krankenpflege und starb 1231, nur 24 Jahre alt. Bereits 1235 heiliggesprochen, war sie seit dieser Zeit „die Heilige des sozialen Gewissens", die als Tochter des Hochadels auf jedes Sonderrecht verzichtet hatte.

Im 13. Jahrhundert erreichte der Name Elisabeth in Köln einen ersten hohen Beliebtheitsgrad. Seitdem ist er mit vielen Kurzformen weit verbreitet. Elisabeth, Bettina und Isabelle waren seit 1965 in der Spitzengruppe, Lisa erreichte 1988 Platz 9. In Österreich stand Elisabeth 1984/86 an 7., in der Schweiz 1979 an 13., in Bern 1984 an 16. Stelle (gefolgt von Isabelle an 17. Stelle).

Bekannte Darstellung

„Heilige Elisabeth", Reliefholzfigur von Tilman Riemenschneider, um 1500.

Bekannte Namensträgerinnen

Elisabeth I., englische Königin (1533–1603), machte Großbritannien zur Weltmacht; Elisabeth II. (*1926), seit 1952 Königin von England; Elisabeth Flickenschildt (1905–1977), Bühnen- und Filmschauspielerin mit unverwechselbarer Stimme; Elisabeth Trissenar, Theaterschauspielerin und Darstellerin in vielen Fassbinder-Filmen; Elisabeth Volkmann (*1942), Kaba-

rettistin und Schauspielerin; Elizabeth Taylor (*1932), amerikanische Filmschauspielerin; Isabel Allende (*1942), chilenische Schriftstellerin („Das Geisterhaus"); Isabella Rossellini (*1952), Tochter Ingrid Bergmanns, Fotomodell und Filmschauspielerin; Isabelle Adjani (*1955), französische Schauspielerin; Bettina von Arnim (1785–1859), deutsche Dichterin; Bette Middler (*1946), amerikanische Sängerin und Schauspielerin; Betty Mahmoody, amerikanische Autorin, die durch ihr Buch „Nicht ohne meine Tochter" Aufsehen erregte.

Kurz- und Koseformen Alice, Else, Elisa, Elsbeth, Ella, Elli, Lisbeth, Lisa, Lise, Liss, Liesel, Bettina, Betty, Bet, Bela, Bele, Billa, Bets, Ilsa, Ilse.

Fremdsprachige Namensformen Englisch Lizabeth, Bess, Bessie, Bette, Liz, Lizzy, Lizzie; französisch Lisette, Babette, Isabeau, Isabelle; italienisch Betta, Lisetta; spanisch Isabel, Isabella, Bella, Sabela; russisch Jelisaweta; ungarisch Erzsébet.

Während Elisabeth stark an Bedeutung einbüßte, erlebte die Kurzform Lisa einen kometenhaften Aufstieg. 1988 reihte sich der Name Lisa erstmals auf dem 9. Platz unter die 10 am häufigsten vergebenen Namen ein. 1989 erreichte er bereits den 6. Rang und landete 1990 schon auf Platz 4. 1991 setzte sich Lisa sowohl in West- als auch in Ostdeutschland an die Spitze und behielt, zumindest in den neuen Bundesländern, bis 1994 unangefochten die Spitzenposition. Erst 1995 und 1996 fiel Lisa auf den 2. Platz zurück. In den alten Bundesländern pendelt der Name seit 1992 zwischen Rang 2 und Rang 8 hin und her.
Am bekanntesten wurde der Name durch Leonardo da Vincis Gemälde „Mona Lisa", das in Paris im Louvre hängt.

Bekannte Namensträgerin Lisa Fitz, bayerische Kabarettistin.

Namenstag 19. November.

Erik

Herkunft und Geschichte

Erik ist die dänische und schwedische Form von „Erich". Der Name geht auf die altnordische Form *era* „Ehre" und *rihi* „reich und mächtig" zurück. Kein Wunder, dass sich einflussreiche Würdenträger gern mit diesem Namen schmückten, so auch der schwedische Nationalheilige König Erik IX. Der bereits im Mittelalter beliebte Vorname fand im 19. Jahrhundert durch die Ritter- und Räuberliteratur erneut Verbreitung. Während die deutsche Form „Erich" im Lauf der Jahre immer weiter an Bedeutung verlor, setzte sich gerade in der letzten Zeit die skandinavische Form Erik durch. Seit 1996 nimmt der Vorname in den neuen Bundesländern sogar den 10. Platz auf der Beliebtheitsskala ein.
Die weibliche Form Erika dagegen, die man oft fälschlicherweise mit dem Pflanzennamen in Verbindung bringt, zählte Anfang des 20. Jahrhunderts zu den Modenamen und ist heute fast ganz in Vergessenheit geraten.

Bekannte Namensträger und Namensträgerinnen

Erik Schumann, Schauspieler, der seine größten Erfolge in Boulevardkomödien feierte; Erika Pluhar (*1939), österreichische Schauspielerin und Sängerin, die neuerdings auch als Schriftstellerin von sich reden macht, Erik Zabel, Radrennfahrer, der 1997 als 1. Deutscher die traditionsreiche Radrundfahrt Mailand–San Remo in Italien gewonnen hat; Eric Clapton (*1945), englischer Gitarrist und Sänger, Gründungsmitglied der legendären Rockband „Cream"; Eric Roberts, amerikanischer Schauspieler, Bruder von Julia Roberts.

Fremdsprachige Namensformen

Englisch Eric; norwegisch Eirik; schwedische Formen Erk, Erker, Jerker.

Namenstag

18. Mai.

Eva

Herkunft und Geschichte

Der biblische Name Eva ist nach der hebräischen Volksetymologie mit *chavvah* „die Lebendige, Mutter allen Lebens" zu erklären. Adam und Eva sind nach der Bibel die Stammeltern der Menschheit. Sie sind in der Volkskunst oft in naiver Form nackt dargestellt. Im volkstümlichen Paradiesspiel der Adventszeit traten Adam und Eva schon früh auf. Der 24. Dezember, Heiligabend, ist ihr Tag, und nach altem rheinischen Volksbrauch soll man an diesem Tag keinen Apfel essen.
Um 1900 war der Name in England sehr beliebt. In der Nachkriegszeit erreichte er regional Spitzenplätze. In Würzburg lag er 1981 an 7. und in Heidelberg 1986 an 10. Stelle. Durch Andrew Lloyd Webbers Musical „Evita" über das Leben der argentinischen Volksheldin, ist die spanische Namensform weltweit berühmt geworden.

Bildende Kunst

„Adam und Eva" (mit Apfel und Schlange), Stich (1504), Gemälde (1507) von Albrecht Dürer; „Eva", Gemälde von Lucas Cranach; „Adam und Eva", Holzschnitt (1533) von Lucas Cranach dem Älteren.

Bekannte Namensträgerinnen

Eva Lind (*1966), österreichische Opernsängerin; Eva Mattes (*1954), deutsche Theaterschauspielerin; Eva Maria Hagen, Lieder- und Chansonsängerin; Eva Heller, Journalistin und Bestsellerautorin („Beim nächsten Mann wird alles anders"); Eva Herrmann, Tagesschausprecherin u. Fernsehmoderatorin.

Kurzformen

Ev, Eve, Evi; niederrheinisch Evken, Eiffgen.

Fremdsprachige Namensformen

Englisch Eve, Eveleen, Evelyn; französisch Eve, Eveline; italienisch/spanisch Eva, Evita; bulgarisch Evga; ukrainisch Jeva, Jevka; polnisch Ewa.

Namenstag

24. Dezember.

Fabian, Fabienne

Herkunft und Geschichte

Fabian, eine Erweiterung des römischen Namens Fabius, „aus dem (sehr alten) Geschlecht der Fabier", war ursprünglich wohl ein Herkunftsname „aus der Stadt Fabiae stammend", wird aber auch dem lateinischen *faba* „Bohne", *fabius* „Bohnenzüchter" zugeordnet. Ein Fabianus konnte jedoch auch ein Legionär des Feldherrn Fabius gewesen sein, denn die Fabiani waren Soldaten des Consuls Quintus Fabius Maximus Allobrogicus, der 121 v.Chr. die keltischen Allobroger besiegte.
Namengebend wurde der heilige Fabian, Papst 236 bis 250 und Märtyrer um 250, begraben in der Calixtuskatakombe. Seine Reliquien wurden 1915 bei Ausgrabungen in der Kirche San Sebastian in Rom entdeckt.
Fabian ist seit 1983 in der Schweiz, seit 1984 in Österreich unter den beliebten männlichen Vornamen und hat in den vergangenen Jahren den deutschen Bodenseeraum erreicht. Auch die italienisch verwandte Form Fabio hat an Beliebtheit gewonnen. Unter den Mädchennamen in der Schweiz ist die französische Form Fabienne seit 1981 sehr beliebt; in Bern stand sie 1984 an 9., 1985 an 7. und 1986 an 13. Stelle aller Mädchennamen. Die Namensform „Fabiola" wurde in Deutschland durch die ehemalige belgische Königin bekannt.

Literatur

„Fabian. Die Geschichte eines Moralisten". Satirischer Roman (1931) von Erich Kästner; eine der brillantesten Satiren auf deutsche, insbesondere Berliner Zustände Ende der zwanziger Jahre.

Fremdsprachige Namensformen

Englisch Fabian; französisch Fabien, Fabian, Fabienne; italienich Fabio, Fabiano, Fabia, Fabiola; spanisch Fabian; baskisch Paben; niederländisch Fabianus, Fabius; rumänisch Fabie; russisch Fabijan; ungarisch Fábián, Fabó.

Namenstag

20. Januar.

Felix

Felix war ursprünglich ein römischer Beiname aus dem lateinischen Adjektiv *felix* „glücklich, glückbringend“. Über 50 Heilige und 4 Päpste des 3. bis 6. Jahrhunderts trugen diesen Namen, sodass er umgedeutet wurde in „der Glückselige“.

Felix wurden im frühen Christentum viele unbekannte Märtyrer genannt. In Stadlers Vollständigem Heiligen-Lexikon (Augsburg 1858–1882) sind insgesamt 235 Heilige mit Namen Felix aufgezählt. In der Schweiz sind es die Geschwister Felix und Regula, Patrone von Zürich, die zur Verbreitung dieses Namens beigetragen haben. Seit 1993 steht der Vorname in den neuen Bundesländern hoch im Kurs. 1993 belegte er Platz 8, 1994 Platz 7, 1995 sogar Platz 4 und 1996 erneut Platz 7.

Bekannte Namensträger Felix Dahn (1834–1912), Schriftsteller; Felix Mendelssohn-Bartholdy (1809–1847), Komponist, Dirigent, Pianist; Felix Graf von Luckner (1881–1966), Marineoffizier, Schriftsteller („Seeteufel“); Felix Magath (*1953), ehemaliger aktiver Fußballspieler und heute Trainer, zur Zeit beim Hamburger SV.

Literatur „Bekenntnisse des Hochstaplers Felix Krull“, Roman von Thomas Mann.

Kurzformen Lix, Lixel.

Fremdsprachige Namensformen Englisch Felix; französisch Félix, Félicien; italienisch Felice; spanisch Félix; galicisch Fiz; baskisch Peli; niederländisch Felix, Feel, Feliciaan; polnisch/russisch Feliks; ungarisch Bódog.

Namenstag Namenstag: 18. Mai, 11. September.

Florian

Herkunft und Geschichte

Florianus „der Blühende“, von *florere* (lateinisch) „blühen, frisch sein“, ist seit dem Mittelalter mit dem volkstümlichen Namen des heiligen Florian in Bayern und Österreich verbreitet. Florian lebte zur Zeit der Christenverfolgung um 304 in Cetium (heutiges Sankt Pölten) und soll römischer Beamter gewesen sein. Als Christ wurde er verhaftet, zum Tode verurteilt und ertränkt. Sein Attribut, ein Wasserbottich, ließ ihn zum Schutzheiligen der Feuerwehr, der Böttcher, Töpfer und Schmiede werden.
1977 bis 1983 wurde der Name in München so beliebt, dass er dort von der 6. auf die 1. Stelle rückte. In der Bundesrepublik stand Florian 1983 an 8., 1887/88 an 10. Stelle, in Österreich 1984/86 an 13., in Bern 1985 an 26. Stelle. Während der Vorname in den 90er Jahren in den alten Bundesländern seine Favoritenrolle einbüßte, behauptet er in Ostdeutschland unangefochten seine Spitzenposition in der Beliebtheitsskala unter den ersten 10.

Bekannte Namensträger

Florian Geyer, fränkischer Reichsritter (um 1490–1525), war Landsknechtshauptmann und Anführer im Bauernkrieg; Florian Schwarthoff, Bronzemedaillengewinner über 110-m-Hürden in Atlanta 1996.

Literatur

„Florian Geyer. Die Tragödie des Bauernkrieges“, Drama (1896) von Gerhart Hauptmann; „Der unheilige Florian“, Roman (1938) von Horst Wolfram Geißler.

Kurzformen

Florin, Flor, Flori, Floris, Flur, Fluri; niederrheinisch Flöres.

Fremdsprachige Namensformen

Französisch Florien; italienisch/spanisch Florioano; niederländisch Floriaan, Floor; russisch Floryjan; ungarisch Flóris, Fóris.

Namenstag

4. Mai

Frank

Herkunft und Geschichte

Dieser Name wird meist als „der Franke, der Freie“ erklärt. Der Volksname der Franken geht ursprünglich auf das germanische Wort *franka* „mutig, tüchtig“ zurück. Danach ergaben sich aus dem Beinamen „der Franke“ die sehr häufigen altdeutschen Rufnamen Franko, Franco verkürzt zu Frank. Der heute sehr beliebte Name Frank hat die überlagerte Bedeutung „der Freie“ bekommen. Denn die Franken waren ihrer Stellung und Macht nach „die Freien“ geworden, als sie in ihr romanisches Herrschaftsgebiet (Frankreich) einrückten. Frank „frei“ wurde um 1500 aus dem Französischen, franc „fränkisch, frei“ rückentlehnt.

Bekannte Namensträger

Frank Wedekind (1864–1918), Schriftsteller, Schauspieler; Frank Sinatra (*1915), Filmschauspieler und Sänger; Frank Elstner (*1942), Journalist, Fernsehmoderator, Showmaster; Frank Busemann (*1975), neuer deutscher Stern im Zehnkampf, gewann 1996 in Atlanta Silber; Frank Peter Rötsch (*1964) Goldmedaille 1988 im Biathlon in Calgary; Frank Zappa (1940–1993), amerikanischer Popmusiker.

Koseformen

Fränkel, Frenkel

Fremdsprachige Namensformen

Englisch Franc, Frank, Frankie, Frenk; französisch France; italienisch Franco; niederländisch Frank, Franko, Frenk, Vrenk; friesisch Franke.

Franc, Frank, Franko ist in vielen europäischen Sprachen zu Franziskus gezogen worden.

Die weibliche Namensform Franka fand keine Anhänger. Bekannter in Deutschland wurde die italienische Namensform „Franca“ durch die streitbare Fernsehjournalistin und Autorin Franca Magnani, die 1997 verstorben ist.

Namenstag

5. Juni.

Franz, Franziska

Herkunft und Geschichte

Franz ist eine Kurzform von Franziskus und gehört zur italienischen Ausgangsform Francesco. Dieser Name ist in Italien seit dem 12. Jahrhundert in Gebrauch und bezeichnete ursprünglich den Landsmann, der nach Frankreich reiste, der in Geschäftsbeziehungen mit dem Nachbarland stand. Aus dem Beinamen Francesco „der Französische" wurde seit dem 12. Jahrhundert ein Vorname. Mehrere Heiligennamen haben zur Verbreitung des Namens beigetragen: Franz von Assisi, Franz von Borja, Franz von Paula, Franz von Sales, Franz Xaver. Der beliebte Name ist in der Neuzeit vor allem in Süddeutschland und Österreich verbreitet.

Die weibliche Form Franziska war im oberdeutschen Raum bis nach dem Ersten Weltkrieg stark verbreitet (in Wien 1918 auf dem 5. Platz). In der gesamten Schweiz stand der Name 1979 an 29. Stelle, in Bern 1979 bis 1986 häufiger in der Spitzengruppe. Seit 1991 führt der Weg auf der Beliebtheitsskala wieder steil nach oben. Bis 1996 nahm Franziska in Ostdeutschland einen Spitzenplatz unter den ersten 10 ein, und auch in Westdeutschland erreichte der Vorname 1993 und 1994 Platz 8 und 10 der am häufigsten gewählten Namen.

Bekannte Namensträger

Franz Schubert (1797–1828), deutscher Komponist; Franz-Josef Strauß (1915–1988), CSU-Politiker; Franz Beckenbauer (*1945), international bekannter ehemaliger Fußballprofi, heute als Fußballmanager tätig; Franz Alt (*1938), Fernsehjournalist und Buchautor; François Mitterand (1916–1996), französischer Staatsmann und überzeugter Europäer.

Fremdsprachige Namensformen

Englisch Francis, französisch François, italienisch Francesco; spanisch Francisco, Paco; niederländisch Frans, Frens; russisch Francysk; ungarisch Ferenc.

Namenstage

24. Januar, 2. April, 4. Oktober.

Gabriele

Herkunft und Geschichte

Gabriele ist die weibliche Form zum biblischen Namen Gabriel, hebräisch *gabri'el* „Mann Gottes, Gottesstreiter, Gott ist stark". Gabriel war unter den vier Erzengeln der Verkündigungsengel. Heilige dieses Namens haben kaum zur Verbreitung beigetragen, zudem der Engelkult nur im orientalischen und katholischen Christentum, aber nicht in Ländern evangelischer Konfession üblich ist. Gabriele ist durch Gabriela, Gabriella oder Gabrielle aus den romanischen Ländern zu uns gekommen. Seit 1920 beliebt, stand Gabriele 1958 in der Bundesrepublik an 1., 1960 an 2. Stelle. Heute ist die Tendenz eher rückläufig.

Literatur

„Gabriele, die Geschichte einer Freundschaft", Jugendbuch (1952) von Josefine Bohne; „Hundertmal Gabriele", Erzählung (1953) von Friedrich Sieburg; „Gabriela wie Zimt und Nelken", Roman (1958) von Jorge Amado; „Abschied von Gabriela", Fernsehspiel (1976) von Walter Baumert; „Gabriel, Gabriele", Kinderbuch (1966) von Felicitas Betz.

Bekannte Namensträgerinnen

Gabriele Wohmann (*1932 in Darmstadt), Erzählerin, Hörspiele, Fernsehspiele; Gaby Dohm (*1943 in Salzburg), Schauspielerin (ZDF-Serie „Schwarzwaldklinik"); Gabriele Seyfert, Welt- und Europameisterin im Eiskunstlauf; Gabriela Sabatini (*1970), argentinische Tennisspielerin der Weltklasse, die 1997 ihren Rückzug aus dem aktiven Sport bekannt gab; Gabriele Krone-Schmalz (*1949), Fernsehmoderatorin und Autorin.

Fremdsprachige Namensformen

Englisch/französisch Gabrielle; italienisch Gabriella; spanisch Gabriela; niederländisch Gabriela, Gabriele, Gabriella, Gabry; russisch Gabrielja; mazedonisch auch Gabra, Gaba, Gavra.

Namenstag

7. Juli.

Georg

Herkunft und Geschichte

Der Name ist griechischer Herkunft; *geōrgós* bedeutet „Ackermann, Landsmann". Der heilige Georg wurde durch die Legende seines Kampfes mit dem Drachen im Mittelalter bekannt. Doch schon im 5. Jahrhundert begann die Verehrung des zum Symbol christlicher Tapferkeit gewordenen Heiligen, der um 305 den Märtyrertod erlitten hatte. Der Legende nach erschien der heilige Georg bei der Eroberung Jerusalems als Ritter, der die Kreuzfahrer zum siegreichen Sturm anführte. Danach wurde er der gefeiertste Heilige und Schutzpatron Englands. Zahlreiche Fürstennamen waren seitdem Namensvorbild.
Jörg und Jürgen als moderne Kurzformen von Georg standen 1961 bis 1974 in der Bundesrepublik an 9. Stelle. In Österreich stand 1984/86 Jürgen an 24., Georg an 27. Stelle.

Bildende Kunst

„Sankt Georg", Fresko (ca. 1150), Kloster Nonnberg, Salzburg; „Sankt Georg", Tafelgemälde (ca. 1460), Kirche Sankt Vital, Leslau.

Bekannte Namensträger

Georg Friedrich Händel (1685–1759), deutscher Komponist des Barock; Georg Trakl (1887–1914), österreichischer expressionistischer Lyriker; Georg Baselitz (*1938), deutscher Maler und Bildhauer; Georg Büchner (1813–1837), deutscher Dichter; Georg („Schorsch") Hackl (*1966), deutscher Rodler und Goldmedaillengewinner; Jörg Zink (*1922), Fernsehpfarrer und Publizist; Jörg Immendorf (*1945), Maler und Bildhauer; Jörg Wontorra (*1948), Sportjournalist und Fernsehmoderator; Jörg Rosskopf, erfolgreicher deutscher Tischtennisspieler; Jürgen von der Lippe (*1948), Fernsehmoderator; Jürgen Prochnow (*1941), deutscher Schauspieler mit internationaler Karriere; Jürgen Klinsmann, deutscher Fußballspieler; George Washington (1732–1799), 1. amerikanischer Präsident; George Marshall (1880–1959), Vater des „Marshallplans"; George Bush (*1924), 43. Präsident der USA; George Gershwin (1898–1937),

amerikanischer Komponist; George Orwell (1903–1950), englischer Schriftsteller („Schöne neue Welt“); George Harrison (*1943), Mitbegründer der „Beatles“; Georges Bizet (1838–1875), französischer Komponist („Carmen“); Georges Simenon, belgischer Schriftsteller, der mehr als 100 Kriminalromane schrieb; Giorgio Armani (*1934), weltberühmter italienischer Modeschöpfer; Jorge Semprún, spanischer Autor, Träger des Friedenspreises des Deutschen Buchhandels; Juri Gagarin (1934–1968), russischer Kosmonaut und 1. Mensch im Weltraum; Jurek Becker (1938–1997), deutscher Schriftsteller („Jakob der Lügner“) und Drehbuchautor („Liebling Kreuzberg“); György Ligeti (*1923), ungarischer Komponist elektronischer Musik; Omar Sharif (*1932), international berühmter libanesischer Schauspieler („Dr. Schiwago“).

Kurzformen Oberdeutsch Jorg, Jörg, Jörgel, Görgel; niederdeutsch Jürg, Jürgen, Jürn; rheinisch Göres, Schorsch.

Fremdsprachige Namensformen Englisch George; französisch Georges; italienisch Giorgio; spanisch Jorge; niederländisch George, Joris, Jurjen; dänisch Jørgen, Jørn, Jörgen; schwedisch Göran, Jöran; polnisch Jerzy; russisch Georgij, Juras, Jurka, Jury; slawisch Juri, Jurex; ungarisch György; arabisch Omar.

Namenstag 23. April.

Gerd, Gert, Gerhard

Herkunft und Geschichte

Gerd, Gert sind heute beliebte Kurzformen zum alten deutschen Rufnamen Gerhard, von *ger* „Speer“ und *harti* (althochdeutsch) „hart, kühn“. Gerhard war im Mittelalter ein Name des Adels, insbesondere im niederdeutschen Raum. Von den zahlreichen Heiligen, 68 an der Zahl, hat nur Bischof Gerhard von Toul († 994), ein gebürtiger Kölner, die deutsche Namensgebung beeinflusst. In den alten Kölner Schreinsurkunden kommt der Name fast 500-mal vor, sodass man sagte: „Kölner heißen Gerhard“. In Hamburg stand Gerhard 1973 an 14. Stelle der häufigsten Vornamen, Gerd zwar nur an 52. Stelle, aber er wurde und wird noch sehr häufig als täglicher Rufname zu Gerhard gebraucht.

Bekannte Namensträger

Gerhard Marcks (1889–1981), deutscher Bildhauer und Maler; Gerhard Richter (*1932), deutscher Maler und Grafiker; Gerhard Konzelmann (*1932), Journalist; Gerhard Polt (*1942), bayerischer Kabarettist und Filmemacher; Gerhard Berger, österreichischer Formel-1-Pilot; Gerhard Schröder, SPD-Politiker und niedersächsischer Ministerpräsident; Gerd Gaiser (1908–1976), Schriftsteller; Gerhart Hauptmann (1862–1946), Dichter; Gerd Müller (*1945), deutscher Fußballer; Gerd Wiltfang (*1946), Springreiter und Weltmeister; Gert Fröbe (1913–1988), Schauspieler.

Kurzformen

Niederdeutsch-friesisch: Geert, Gerit, Geriet, Gerret, Gerrit, Gierd, Jerrit; Gard, Garrit, Gart, Gertse, Gjert, Jerryt, Jert, Kay.

Fremdsprachige Namensformen

Englisch Gerhard, Garret; französisch Gérard; italienisch Gerardo, Gherardo; spanisch Gerardo; niederländisch Gaard, Gait, Gailie, Garriel, Geerd, Geraad; russisch Herard; ungarisch Gellért.

Namenstag

23. April, 24. September.

Heiko, Heike

Herkunft und Geschichte

Die niederdeutsch-friesischen Kurzformen Heiko und Heike werden als moderne Namen statt Heinrich und Heinrike gewählt. Doch nur der niederdeutsche Heiko und die Heike gehören zum alten Kaisernamen Heinrich, der aus Haganrich hervorgegangen ist und von *hagan* (althochdeutsch) „Hof, Hag, Hain" und *rihhi* „reich, mächtig" abgeleitet wird. Der ostfriesische Heiko ist über Hajo, Heio, ostfriesisch *hei, hug,* aus dem alten Rufnamen Hugo entstanden, zu althochdeutsch *hugu* „Sinn, Verstand, Mut".

Beide Namen waren jahrhundertelang nur in niederdeutschen oder friesischen Landschaften gebräuchlich. In der ehemaligen DDR war Heiko von 1965 bis 1972 in der Spitzengruppe, in Hamburg stand er 1973 an 22., in Bielefeld 1974 an 27. Stelle. Heike wird außerhalb des niederdeutsch-friesischen Sprachgebiets nur als weiblicher Vorname gebraucht. So hat die Oldenburger Gerichtsentscheidung von 1974, dass Heike als alleiniger Name nicht eintragbar sei, nur dort einen Sinn, wo männliche und weibliche Heikes nebeneinander gebraucht werden. Ähnlich wie Heiko war die Heike von 1964 bis 1971 in der damaligen DDR in der Spitzengruppe, 1966/67 in Düsseldorf und Karlsruhe an 6. und 1984 in Leer/Ostfriesland an 6. Stelle.

Bekannte Namensträger und Namensträgerinnen

Heiko Engelkes (*1933), Journalist; Heiko Hoffmann (*1935), CDU-Politiker, Kiel; Heike Doutiné (*1945), Schriftstellerin; Heike Drechsler (*1964), deutsche Leichtathletin (Weitsprung) und Olympiasiegerin; Heike Henkel (*1964), Hochspringerin, die 1996 ihre Karriere beendet hat; Heike Makatsch, erfolgreiche Moderatorin von Musiksendungen für Jugendliche im Fernsehen.

Namenstag

13. Juli.

Helmut

Herkunft und Geschichte

Helmut, ein alter deutscher Rufname, kam als Halmuot schon im Jahre 869 vor, verbreitete sich jedoch erst seit dem 19. Jahrhundert. Der Name setzt sich zusammen aus *helm* „Helm, Schutz“ und *muot* (althochdeutsch) „Mut, Geist, Sinn, Gemüt“. Der preußische Generalfeldmarschall Helmuth von Moltke (1800–1891) und sein gleichnamiger Neffe Helmuth (1848–1916), Generalstabschef des Ersten Weltkrieges, trugen dazu bei, dass der Name zu Beginn des 20. Jahrhunderts in Mode kam.
In Hamburg stand Helmut 1973 an 27. Stelle der häufigsten männlichen Vornamen, in Siegen an 11. Stelle.

Bekannte Namensträger

Helmut „HAP“ Grieshaber (1909–1981), deutscher expressionistischer Maler und Grafiker; Helmut Schmidt (*1918), Altbundeskanzler und Mitherausgeber der „Zeit“; Helmut Kohl (*1930), Bundeskanzler seit 1982; Helmut Käutner (1908–1980), Filmregisseur („Große Freiheit Nr. 7“, „Der Hauptmann von Köpenick“); Helmut Heißenbüttel (1921–1996), Schriftsteller; Helmut Schön (1915–1996), Bundestrainer (1964–1978); Helmut Rahn (*1929), Fußballer; Helmut Dietl, deutscher Regisseur („Schtonk“, „Rossini“); Helmut Jahn, deutsch-amerikanischer Architekt mit Weltgeltung; Helmut Lohner, österreichischer Theaterschauspieler.

Kurzformen

Helmke, Helmo, Hele, Helle.

Fremdsprachige Formen

Helmut ist als ausgesprochen deutscher Name nicht im Ausland verbreitet. Nur in Südafrika kennt man die Ableitung Helmoed.

Namenstag

29. März.

Inga, Inge, Ingrid

Herkunft und Geschichte

Die schwedische Kurzform Inga und der Vorname Inge sind Kurzformen zu den alten nordischen Rufnamen Ingeborg und Ingrid. Schon in nordischen Runeninschriften des 10. Jahrhunderts kommen sie in zahlreichen Zusammensetzungen vor. In allen Fällen ist der altnordische Ing oder Ingvio namengebend gewesen, der Stammesgott der germanischen Ingväonen, die an der Nordseeküste siedelten und Vorfahren der Sachsen und Friesen waren. Das zweite Namenglied von Ingeborg, *borg*, bedeutet „Schutz und Geborgenheit", während Ingrid mit *fridhr* (altnordisch) „hübsch, schön" ergänzt ist.

In den zwanziger Jahren waren beide Namen in Deutschland sehr beliebt. Ingeborg erreichte 1930 bis 1938 in Wien die 3. Stelle und stand 1973 in Hamburg an 20. Stelle der häufigsten weiblichen Vornamen. Auch Inge kam in dieser Zeit häufiger vor. Ingrid gelangte 1939 bis 1945 in Wien an die 8. Stelle, war 1965 in München an 20., in Hamburg sogar 1973 an 10. Stelle der häufigsten weiblichen Vornamen. In Österreich wurde 1984 296-mal der Name Ingrid gewählt.

Literatur

„Ingeborg", Komödie (1921) von Curt Goetz.

Bekannte Namensträger

Ingeborg Bachmann (1926–1973), österreichische Dichterin; Inge Meysel (*1910), Schauspielerin. Unvergessen ist die schwedische Filmschauspielerin Ingrid Bergman (1917–1982). Ingrid Andree (*1931), Schauspielerin; Ingrid Matthäus-Maier (*1945), Richterin, MdB, SPD-Politikerin und Wirtschaftsexpertin; Inge Morath, österreichisch-amerikanische Fotografin, Ehefrau von Arthur Miller; Ingrid Noll, deutsche Autorin spannender Psychokrimis; Ingrid Steeger (*1948), Schauspielerin in Comedyserien; Inga Rumpf, deutsche Rocksängerin.

Namenstage

Inga 25. Oktober; Inge 17. Dezember; Ingeborg 28. Mai, 30. Juli; Ingrid 5. Februar, 2. September, 9. Oktober.

Jan, Jens, Hans, Johannes, Johanna

Herkunft und Geschichte

Jan, Jens sind die modernen niederdeutschen Kurzformen, Hans ist die jahrhundertealte oberdeutsche Kurzform von Johannes.
In Deutschland ist dieser Name älter als oft angenommen wird – bereits 545 kommt er in Remagen am Rhein und 1068 in Worms vor. Namenvorbild war der neutestamentliche Name Johannes des Täufers, weniger der des Apostels und Evangelisten Johannes. Die griechische Form Johannes gehört zu Jochanan, *jehōchānān* (hebräisch) „Jehova (Gott der Herr) ist gnädig gewesen".
Die große Verbreitung in Deutschland, England und den nordischen Ländern zeigt sich bis heute in einer Vielfalt von Taufnamen und Doppelformen. Johannes war mit Johann und der Kurzform Hans durch alle Jahrhunderte der häufigste deutsche Vorname.
In Österreich stand Johannes 1984/86 noch an 20. Stelle und teilt dort sein Vorkommen mit dem volkstümlichen Hannes (37. Stelle).
Statt dem früher beliebten Namen Johann, der meist mit einem zweiten, dem eigentlich geltenden Vornamen verbunden war, wählt man heute im niederdeutschen (norddeutschen) Raum überwiegend die Kurzformen Jan und Jens, im oberdeutschen (süddeutschen) Raum bleibt man bei der Kurzform Hans, als Doppelform mit anderen beliebten Namen verbunden.
Jan stand 1973 in Hamburg an 8., 1988 in Ostwestfalen an 4. Stelle und erreichte 1988 in der Bundesrepublik den 9. Platz aller männlichen Vornamen. Auch in der Schweiz wurde Jan beliebt (Bern 1984: 16. Stelle). 1986 stand Jan in Westdeutschland wieder auf Platz 9 der beliebtesten Vornamen. Wegen seiner Kürze eignet sich Jan gut zu Doppelformen, wie Janfried, Jan-Felix, Janheinz, Jan-Peter. Jan ist durch seine Volkstümlichkeit im Niederdeutschen zum Gattungsnamen geworden: Jannmaat bedeutet „Matrose", Jan Rasmus heißt „die wilde See".

Literarische Gestalten

„Jan Hinnerk“ im niederdeutschen Volkslied. „Jan Lobel aus Warschau“, Roman (1948) von Luise Rinser; „Jan Bronski“ in „Die Blechtrommel“, Roman (1959) von Günter Grass; „Er hieß Jan“, Jugendbuch (1982/84) von Irina Korschunow.

Jens ist insbesondere die dänische, nordfriesische, norwegische und niederländische Kurzform von Johannes und bei uns zunehmend beliebt geworden. Der Name stand 1966 in Bremen an 6., 1973 in Hamburg an 23. und 1976 in Bielefeld an 5. Stelle.

Jensen ist ein von Jens abgeleiteter Familienname, der 1965 als Vorname abgelehnt wurde.

Hans hat zu allen Zeiten im deutschen Volk die größte Verbreitung gefunden. Beliebt sind nach wie vor Doppelformen wie Hans-Dieter, Hansjörg, Hansjürgen, Hans-Peter, Hansrolf, Hansulrich, Hanswerner.

Bekannte Namensträger

Jens Weißflog, bester deutscher Skispringer aller Zeiten, der 1996 seine aktive Karriere beendet hat; Hans Clarin (*1929), deutscher Schauspieler, der dem Kobold „Pumuckl“ seine Stimme verleiht; Hans Meiser, Talkmaster und Fernsehmoderator mit hohen Einschaltquoten; Hannes Jaennicke, junger deutscher Schauspieler; Johann Sebastian Bach (1685–1750), herausragender Komponist und Musiker; Johann Wolfgang Goethe (1749–1832), berühmtester Dichter der deutschen Sprache; Johannes Gutenberg (1400–1468), Erfinder der Buchkunst; Johannes Mario Simmel (*1924), deutscher Bestseller-

autor; John Lennon (1940–1980), berühmtestes Mitglied der „Beatles"; John F. Kennedy (1917–1963), 35. Präsident der USA, Idol seiner Zeit, wurde am 22. November 1963 in Dallas erschossen; John Grisham (*1955), amerikanischer Bestsellerautor; Jack Nicholson (*1937), amerikanischer Schauspieler der Extraklasse; Jean Gabin (1904–1976), französischer Schauspieler; Ivan Lendl (*1960), tschechisch-amerikanischer Tennisspieler der Weltklasse, der seine Profilaufbahn beendet hat.

Kurzformen

Johann, Hans, Hansi, Hannes, Jan, Jens.

Fremdsprachige Namensformen

Englisch John, Johnny, Jack; französisch Jean; italienisch Giovanni; spanisch Juan, Juanito; russisch Iwan, Ivan.

Nebenformen und Koseformen zu Hans

Hanns, Hansi, Hansli, Hänsel, Hensel, Hänschen, Hanko; niederländisch Hansko, Hansie, Has, Haske; schwedisch Hasse; polnisch Hanus.

Namenstag

Für alle Namenformen: 24. Juni (Johannistag).

Johanna, Johanne

Von Johanna, Johanne, den weiblichen Formen zu Johannes, gibt es zahlreiche Kurz- und Koseformen; insbesondere die fremden Kurzformen sind bei uns zu beliebten modernen Mädchennamen geworden. Die Kurzform Hanna kommt recht häufig vor und konkurriert mit der biblischen Hannah „die Anmutige, Holdselige"; Koseformen dazu sind Hanni, Hannchen, Hannele und Hansi. Auch Hanja (angelehnt an Anja) und Hanka (aus friesisch Hanke) gehören hierher. Jana ist die weibliche slawische Form zu Jan, die in den neuen Bundesländern sehr beliebt war. Andere Schreibungen dazu sind: niederländisch Janna; norwegisch Janne; bulgarisch und ungarisch Janka; die englische Jane ist die weibliche Form zu John, Johannes, französisch Jeanne.

Janina, Janine ist eine Weiterbildung von Jana und zugleich eine deutsche Form von Gianina (italienisch), von Gianna abgeleitet. Janine wurde in den letzten Jahren zusehends beliebter. 1986 stand sie in Braunschweig, Celle und Kiel an 9. Stelle. In ihrem Gefolge ist deutlich eine weitere Kurzform: Nina, die aber zugleich von Antonina, Christiane und Katharina abgeleitet sein kann.

Nina ist seit 1981 regional in der Spitzengruppe; in Zürich 1984/85 an 20., in Österreich 1984/86 an 35. Stelle.

Literatur: „Nina“, Komödie (1931) von Bruno Frank; „Wir wollen Freundschaft schließen, Nina“, Jugendbuch (1956) von Barbara Bartos-Höppner; „Nina, Abenteuer der Tugend, Mitte des Lebens“, Roman (1961) von Luise Rinser.

Bekannte Namensträgerinnen Johanna von Orleans, französische Nationalheldin aus dem 15. Jahrhundert; Hanna Schygulla (*1943), deutsche Schauspielerin, bekannteste Darstellerin in Fassbinder-Filmen („Die Ehe der Maria Braun“); Hannah Arendt (1906–1975), deutsche Religionssoziologin, emigrierte 1933 in die USA; Jana Novotna, tschechische Tennisspielerin der Weltklasse; Jane Fonda (*1937), amerikanische Schauspielerin; Gianna Nannini (*1956), italienische Rocksängerin; Jeanne Moreau (*1928), französische Schauspielerin („Jules et Jim“); Nina Corti, schweizerische Tänzerin, die mit spanischem Flamenco Furore macht; Nina Hagen (*1955), deutsche Rocksängerin mit Hang zu dramatischer Kostümierung; Nina Ruge, Journalistin und Fernsehmoderatorin.

Namenstage 4. Februar, 30. Mai.

Jennifer

Herkunft und Geschichte

Jennifer, ein englischer Vorname, ausgesprochen 'dzenife, hat sich aus dem keltischen Namen Guinevere entwickelt. Noch älter ist Gwenhwyfar, Gwenhwyvar; wie bei dem Namen Gwendolin ist hier das keltische Wort *gwyn* in der Bedeutung „weiß“ enthalten. Der Name bedeutet in etwa „blank (schön)“ und „fruchtbar“. In Nord-Wales kommt er noch vor in der Form Gaenor, in Cornwall ist er zu Jenifer, Jennifer geworden, ein Name, der in den USA populär wurde.
Gwenhwyfar war die Frau des sagenhaften keltischen Königs Artus (Arthur) in England, der um 500 n. Chr. gegen die eindringenden Angelsachsen gekämpft haben soll. In der aus keltischen Märchen entstandenen Sage scharten sich um König Artus' Tafelrunde Helden, Ritter und Abenteurer. Die Sagen von Parzival, vom Gral und von Tristan knüpfen daran an.
Jennifer, 1982 bis 1984 noch regional in der Spitzengruppe in Bielefeld, Darmstadt, Wiesbaden, Kassel, Mülheim/Ruhr und Celle, erreichte 1986 Platz 3 unter den beliebtesten Mädchennamen der Bundesrepublik. Seit 1985 hat der Vorname einen festen Platz unter den ersten 10. 1993 wurde er in den alten Bundesländern aus der Spitzengruppe verdrängt, aber in den neuen Bundesländern blieb er bis 1996 auf dem 10. Rang.

Bekannte Namensträgerinnen

Bekannt sind die Popsängerinnen Jennifer Warnes und Jennifer Rush und Jennifer Jones, amerikanische Schauspielerin.

Literatur

„Jennifer Lorne“, Roman (1923) von Elinor Wylie; „Die Versuchung heißt Jenny“, Drehbuch, Film (1965).

Fremdsprachige Namensformen

Jenifer, Jennifer, Jenni, Jeannie, Jenny; französisch Guenièvre; italienisch Ginevra; spanisch Ginebra.

Namenstag

Namenstag: 31. Januar.

Jessica

Herkunft und Geschichte

Der auf den hebräischen Ursprung *jiskah* „Gott schaut" zurückgehende englische Vorname Jessica, eroberte sich erstmals 1992 in den neuen Bundesländern den 10. Platz unter den beliebtesten Mädchennamen. 1993 gaben ihm auch immer mehr Eltern aus den alten Bundesländern den Vorzug und setzten ihn ebenfalls an die 10. Stelle. Seit dieser Zeit zählt der Vorname zu den Favoriten und findet sich alljährlich, mal etwas weiter oben, mal etwas weiter unten in der Beliebtheitsskala wieder. Berühmtheit erlangte der Name durch die Gestalt der Jessica aus Shakespeares Drama „Der Kaufmann von Venedig".

Bekannte Namensträgerinnen

Jessica Stocker, Schauspielerin und Ehefrau von Michael Stich; Jessica Lange (*1949), amerikanische Schauspielerin und Oscarpreisträgerin.

Fremdsprachige Namensform

Schwedisch Jessika.

Männliche Namensform

Die männliche englische Namensform Jesse, abgeleitet vom hebräischen „Mann Jahwes", Name des Vaters von David, hat in Deutschland nie eine Rolle gespielt. Er war nur in aller Munde, als Jesse Owens, der herausragende Sportler, 1936 bei der Olympiade in Berlin 4 Goldmedaillen gewann, im 100- und 200-m-Lauf, in der 4x 100-m-Staffel und im Weitsprung.

Josef, Joseph

Herkunft und Geschichte

Josef ist ein biblischer Name aus dem Hebräischen mit der Übersetzung „Gott gebe Vermehrung". Durch die Verehrung des Zimmermanns Joseph von Nazareth, Gatte der Maria und Nährvater Jesu Christi, wurde Josef häufig als Taufname benutzt, vor allem seit Ende des Mittelalters. Heute ist der Name überwiegend in der katholischen Bevölkerung verbreitet: In Wien lag er bis 1918 an 2., 1982 an 4. Stelle aller männlichen Vornamen, in München 1965 an 25., in Rosenheim 1966 an 3. und in Niederbayern an 1. Stelle. In Österreich wurde Josef 1984 1105-mal vergeben, sodass er dort an 28. Stelle steht.

Bekannte Namensträger

Die Komponisten Joseph Haydn (1732–1809) und Joseph Strauß (1827–1870); Joseph von Eichendorff (1788–1857), Dichter der Romantik; Joseph „Joschka" Fischer (*1948), streitbarer Politiker der Grünen mit Sitz im Bundestag; Sepp Maier, Torwart, José Carreras (*1947), international berühmter spanischer Tenor; Joe Cocker, englischer Rocksänger mit charakteristischer „Reibeisenstimme"; Giuseppe Verdi (1813–1901), italienischer Opernkomponist.

Literatur

„Josef und seine Brüder", Romanzyklus von Thomas Mann.

Kurzformen

Oberdeutsch Jos, Josi, Josel, Beppo, Sepp, Sepperl; rheinisch Jupp; schweizerisch Seb, Sebo, Sebel, Seppli.

Fremdsprachige Namensformen

Englisch Joseph, Jo, Joe; italienisch Giuseppe, Beppe, Peppo; spanisch José, Pepe, Pepito; niederländisch Jozef, Joep, Joos, Jop, Jupke; russisch Iosif, Osip, Ossip; ungarisch Jószef.

Weitere Formen

Josefine wird mit französischer Aussprache 'zoze'fin' zum modernen Rufnamen; dazu die englischen Kurzformen Jo, Josie.

Namenstag

19. März (Josephstag).

Judith, Jutta

Herkunft und Geschichte

Wir haben diese beiden weiblichen Vornamen ganz verschiedener Herkunft zusammengefasst, weil der Name Judith bereits im frühen Mittelalter den ähnlichen germanischen Namen Juta, Juthitta verdrängte und sich eine Kurzform Jutta bildete. Der biblische Name Judith gehört zu *jehudith* (hebräisch) „Frau aus Jehud, Juda". Judith ist die Heldin des Buches „Judith" in der Bibel, die dem babylonischen Heerführer Holofernes das Haupt abschlug. Später, im karolingischen Reich, liegt dem vordergründig biblischen Namen der Kaiserin Judith († 843), Gemahlin Ludwigs des Frommen, wohl noch der germanische Name Juta, Juthitta zugrunde.

Der nicht oft gebrauchte Name Judith wurde 1950 bis 1960 in der angloamerikanischen Welt neu belebt. 1982 stand er in Simmern an 13., in Würzburg an 25. Stelle.

Bekannte Namensträgerinnen

Jutta Ditfurth (*1951), kämpferisches Mitglied der Grünen, Journalistin und Autorin; Jutta Speidel (*1954), deutsche Schauspielerin; Judy Winter, beliebte Fernsehschauspielerin.

Fremdsprachige Namensformen

Englisch Judy; rätoromanisch Juditta; niederländisch Jutte; dänisch Jutta, Jytte; tschechisch Jitka; russisch Judif.

Jutta

Jutta, älter Juta, Judida, Juthitta, war wohl ursprünglich ein germanischer Herkunftsname und meinte „die Jütin, Frau aus dem Volk der Jüten" (Jütland, Dänemark). Der Name vermischte sich seit dem 9./10. Jahrhundert mit dem bekannt gewordenen biblischen Namen Judith, und Jutta wurde dessen Nebenform oder Kurzform. Im 12. Jahrhundert war Jutta im Kölner Raum stark verbreitet.

Namenstage

Judith: 6. Mai; Jutta: 30. Juli, 29. November, 22. Dezember.

Julia, Julie

Herkunft und Geschichte

Julia, gesprochen 'ju:lia, englisch 'dzu:lie, und Julie, gesprochen 'ju:lie, englisch 'dzu:li, bezeichnet die Tochter aus der altrömischen Familie der Julier und ist die weibliche Form zu Julius.
Es gab zwar einige Heilige, die aber kaum zur Verbreitung des Namens beigetragen haben. Eine heilige Julia ist Nationalheilige von Korsika. „Romeo und Julia", das klassische Liebespaar, wurde Vorbild für die Dichter und die Namengebung, allen voran Shakespeares Trauerspiel „Romeo und Julia" (1595). Gottfried Kellers Erzählung „Romeo und Julia auf dem Dorfe" (1876) machte den Namen populär.
Julia ist seit 1978 in der Bundesrepublik in der Spitzengruppe und stand 1988 auf Platz 3, in Österreich war der Name 1984 auf Platz 9; in Zürich 1984 auf Platz 20. 1992, 1993 und 1994 war Julia der beliebteste Name in den alten Bundesländern und stand 1996 sogar wieder auf Platz 2. In den neuen Bundesländern schaffte er es zwar nicht bis an die Spitze, aber er behauptet sich ununterbrochen seit 1991 unter den ersten 10 in der Beliebtheitsskala.

Literatur

„Julia", Tragödie (1851) von Christian Friedrich Hebbel; „Fräulein Julie", Schauspiel (1889) von August Strindberg; „Julie oder die neue Heloise", Roman (1761) von Jean-Jacques Rousseau; „Julia und die Geister", Film (1965) von Federico Fellini.

Bekannte Namensträgerinnen

Julia Migenes, Operettensängerin („O mein Papa", „Liebe, du Himmel auf Erden"). Julie, Madame de Recamier, Gattin eines Pariser Bankiers, führte einen einflussreichen Salon zu Zeiten Napoleons I., Julia Roberts (*1967), amerikanische Schauspielerin („Pretty Woman"); Juliette Gréco (*1927), französische Chansonsängerin; Giulietta Masina (1922–1994), italienische Schauspielerin („La Strada"); Juliana (*1909), bis 1980 Königin der Niederlande.

Kurzformen Jule, Liane, Lili, Lilli. Erweiterung: Juliane.

Fremdsprachige Namensformen Englisch Juliet, July, Gill, Gillian, Gillie, Jill; französisch Julie, Juliette; italienisch Giulia, Giulietta; spanisch Julia, Julita; niederländisch Juliana; mazedonisch/serbokroatisch Julka; russisch Julija; ungarisch Julia, Juliska.

Julius, Julian

Der männliche Vorname Julius kommt heute nur noch selten vor, Julian dagegen gehört zu den beliebtesten Vornamen der Bundesrepublik.

Namenstage 22. Mai, 16. September.

Kai, Kay

Herkunft und Geschichte

Dieser kurze und klare Name aus dem Norden ist als männliche oder weibliche Form aus verschiedenen Namensquellen überliefert: Die Formen Kai, Kaie, Kay, Kei, Key sind Kurzformen des friesischen Rufnamens Kampe, Kaimbe, Keimpe „der Kämpe, Kämpfer“, von altsächsisch *kamp* „Kampf, Streit“. Neben dem männlichen Namen gab es auch die weibliche Form Key.
In Holstein entstand im 14. Jahrhundert durch einen Zweig der Familie Rantzau über den alten Namen Kagenher, lateinisch Cajus, die Kurzform Cay, Kai; ein männlicher Adelsname. In England gab es im 12. Jahrhundert Kay aus Caius (lateinisch) und Key aus keltischen Quellen als Männernamen.
Schließlich gibt es die weibliche Form Kay aus den schwedischen Koseformen *Kaj, Kaja, Kajsa*, die zu Karin gehören.
Weil hier oft weder die Standesbeamten noch die Namenkundler Bescheid wissen, kann man unbeschwert den Namen Kai für einen Jungen oder für ein Mädchen wählen – sofern man einen eindeutigen männlichen oder weiblichen Zweitnamen hinzuwählt, um den Vorschriften zu genügen.
Verbreitet ist der Name vor allem im Norden; in Flensburg lag er 1962 an 5., 1965 an 9., 1966 an 8. Stelle.

Bekannte Namensträger

Kai-Uwe von Hassel (1913–1997), Bundestagspräsident a.D.; Kai Wiesinger, junger deutscher Schauspieler.

Namenstag

10. März.

Karl

Herkunft und Geschichte

Karl, althochdeutsch *karal* „freier Mann, Ehemann“, hatte weitgreifende Bedeutung durch das Wirken Kaiser Karls des Großen (742–814) und die Karolinger. Danach war der Name einige Jahrhunderte fast vergessen und wurde erst seit dem 14. Jahrhundert durch Fürstennamen wieder belebt. Nach den römisch-deutschen Kaisern Karl IV. bis Karl VII. blühte der Name an allen europäischen Höfen und mehrte sich auch beim Volk.

Um 1900 war Karl einer der häufigsten Namen in Berlin und stand in Wien sogar an 1. Stelle. Heute ist er als Rufname merklich zurückgegangen, wird aber als Doppelname gern gewählt. In England stand Charles (Thronfolgername!) 1981 an 7. Stelle der 10 beliebtesten männlichen Vornamen. In Österreich kam Karl 1984 auf Platz 52.

Bekannte Namensträger

Karl Kraus (1874–1936), österreichischer Journalist, Literaturkritiker und Satiriker; Karl Friedrich Schinkel (1781–1841), deutscher Maler und Architekt des Klassizismus. Seine Großbauten prägen das Gesicht Berlins; Karl Schmidt-Rottluff (1884–1976), Maler, Hauptvertreter des Expressionismus, Mitbegründer der „Brücke“; Karl Marx (1818–1883), Philosoph, Begründer des Marxismus; Karl May (1842–1912), deutscher Schriftsteller („Winnetou“); Karl Lagerfeld (*1938), deutscher Modeschöpfer und Fotograf; Karl Schranz (*1938) österreichischer Skifahrer; Karl Dall, deutscher Komiker; Karlheinz Böhm (*1928), Schauspieler, Gründer der humanitären Stiftung „Menschen für Menchen“; Karlheinz Stockhausen (*1928), deutscher Komponist elektronischer Musik; Karl-Heinz Rummenigge (*1955), deutscher Fußballspieler; Carl Zuckmayer (1896–1977), Schriftsteller; Carl von Ossietzky (1889–1938) deutscher Publizist, Gegner des Nationalsozialismus; Carl Lewis (*1961), überragender amerikanischer Leichtathlet und Olympiasieger; Carl-Uwe Steeb, Tennisspieler; Charly Chaplin

(1889–1977) amerikanischer Regisseur und Schauspieler („Moderne Zeiten“); Charles de Gaulle (1890–1970), französischer Staatsmann, setzte sich mit Adenauer für die deutsch-französische Aussöhnung ein; Charles Lindbergh (1902–1974), überflog als erster Pilot allein den Atlantik; Charles Bronson (*1921), amerikanischer Schauspieler; Carlo Schmid (1896–1979), SPD-Politiker und Völkerrechtler; Carlos Santana (*1947), mexikanisch-amerikanischer Rockmusiker; Karel Gott, tschechischer Schlagersänger.

Kurzformen

Karli, Kalle, Doppelformen, Beispiele: Karlfred, Karlhans, Karlheinz, Karl-Heinz, Karlheinrich, Karlludwig, Karlmartin.

Fremdsprachige Namensformen

Englisch Charles, Charley, Charlie, Charly; französisch Charles; italienisch Carlo, Carolo; spanisch Carlos; niederländisch Karel, Carel, Carolus; skandinatisch Carl, Karl, Kalle; polnisch Karol; tschechisch Karel; ungarisch Károly.

Namenstage

28. Januar, 4. November.

Katharina

Herkunft und Geschichte

Katharina ist aus dem altgriechischen Frauennamen Aikatherine entstanden, später angelehnt an das griechische Wort *katharós* „rein“. Im Mittelalter haben einige Heilige zur Verbreitung des Namens beigetragen, insbesondere die legendäre Katharina von Alexandria, Märtyrerin um 305/312, und Katharina von Siena (1347-1380), Tertiarin der Dominikaner. Katharina war um 1400 und erneut nach der Reformation weit verbreitet.

Grausig ist der Beigeschmack den Katharina von Medici (1519–1589), Königin von Frankreich, dem Namen verlieh. Auf ihr Betreiben hin fand 1572 die „Bartholomäusnacht“ statt, in der in Paris und im Lande Tausende von Hugenotten ermordet wurden.

Eine der berühmtesten Namensträgerinnen lebte im 18. Jahrhundert in Russland: Katharina II., geboren 1729, heiratete Zar Peter III., stürzte ihn, und übernahm 1762 selbst als Zarin die Herrschaft. Sie machte Russland wieder zur Großmacht und ging mit dem Beinamen „die Große“ in die Geschichte ein.

Um 1900 gab es den Namen noch ziemlich häufig, mit Käthe zusammen stand er an 18. Stelle in Berlin.

Ein erstaunliches Aufblühen erlebte Katharina in neuester Zeit: sie kam 1981 in der Bundesrepublik in die Spitzengruppe auf Platz 8, erreichte 1985 Platz 2 und stand seit 1986 an 1. Stelle der beliebtesten Mädchennamen. Bis 1989 behauptete der Vorname seine Spitzenposition, rutschte dann 1990 auf den 3. Platz. In den neuen Bundesländern ist Katharina weniger beliebt, denn seit 1991 ist der Name nicht mehr unter den ersten 10 Plätzen zu finden. In Westdeutschland dagegen belegt der Vorname bis heute jedes Jahr entweder den 2. oder den 3. Rang in der Beliebtheitsskala. In England stand Catherine 1981 schon an 4. Stelle. In Österreich kam 1984 Katrin auf Platz 6, Katharina auf Platz 12, Karin auf den 23. und Carina auf den 27. Platz. Karin belegte in Bern 1986 den 17. Platz.

Kurzformen

Beliebt sind die kurzen Formen Kathrin, Katrin und Doppelformen wie Anne-Kathrin, Annkatrin. Ebenso beliebt sind die slawischen Kurzformen Katja, Katia; weiterhin Ina, Carina, Karin, Karen, Kareen.

Literatur

„Katharina", Erzählung (1934) von Günter Eich; „Katharina Knie, ein Seiltänzerstück", Schauspiel (1928) von Carl Zuckmayer; „Die verlorene Ehre der Katharina Blum", Erzählung (1974) von Heinrich Böll, verfilmt 1976.

Bekannte Namensträgerinnen

Katharina von Bora (1499–1552), ehemalige Zisterziensernonne, Ehefrau Martin Luthers; Katharina Witt (*1965), Weltmeisterin und Olympiasiegerin im Eiskunstlaufen; Katharina Thalbach, deutsche Schauspielerin und Regisseurin; Karin Baal, Schauspielerin, Jugendidol Anfang der sechziger Jahre („Die Halbstarken"); Katja Riemann, Schauspielerin und Star der neuen deutschen Filmkomödien; Katja Flint, Fernsehschauspielerin; Katja Seizinger (*1972), erfolgreichste deutsche Skiläuferin der letzten Jahre; Käthe Kollwitz (1867–1945), Malerin und Grafikerin, berühmt für ihre sozialkritischen Radierungen und Plastiken; Katherine Hepburn (*1909), glänzende amerikanische Schauspielerin und dreifache Oscarpreisträgerin; Catherine Deneuve (*1943), französische Schauspielerin, Inbegriff der kühlen blonden Schönheit; Ina Seidel (1885–1974), deutsche Erzählerin; Ina Deter, deutsche Rocksängerin („Neue Männer braucht das Land").

Fremdsprachige Namensformen

Englisch Catharine, Catherine, Cathleen, Kathleen, Cathy, Katie, Kay, Kitty; französisch Catherine; italienisch Caterina, Rina; spanisch Catalina; niederländisch Catharina, Calle, Catrien, Catriena, Kaat, Keet, Nine, Tine, Trine; russisch Ekaterina; slawisch Kata, Katjana, Katka; ungarisch Katalin; schwedisch Karin, Karina, Karna; norwegisch Karen.

Namenstage

29. April, 25. November.

Kevin

Herkunft und Geschichte

Der englisch-irische Vorname lässt sich auf das altirische *coemgen* „hübsch, anmutig von Geburt" zurückführen. Ob wohl der Wunsch der Vater des Gedankens ist, dass immer mehr Eltern ihren Söhnen diesen Namen geben? 1991 tauchte Kevin zum ersten Mal in den alten Bundesländern auf Platz 3 der Beliebtheitsskala auf und auf dem 5. Platz in den neuen Bundesländern. 1992 war Kevin überall Favorit und lag im Osten und im Westen Deutschlands einhellig auf Rang 5. Inzwischen steht er nur noch in Ostdeutschland ganz oben in der Gunst und scheint die begehrte goldene Mitte, Platz 5, gepachtet zu haben. Ganz sicher hat der vor allem beim jüngeren Publikum erfolgreiche Hollywoodfilm „Kevin allein zu Haus" dem Namen zu ungeahnter Popularität verholfen. In Deutschland wird bei der Wahl dieses Vornamens wohl kaum jemand an Kevin denken, den 618 verstorbenen irischen Gründer und Abt des Klosters Glendalough im Süden Dublins, an den noch ein Gedenktag am 6. Juli erinnert. Da stand wohl eher der Film Pate.

Bekannte Namensträger

Kevin Keegan (*1951), englischer Fußballspieler, der seine international erfolgreiche Profilaufbahn beendet hat; Kevin Costner (*1955), amerikanischer Schauspieler, der durch den Film „Der mit dem Wolf tanzt" weltberühmt wurde; Kevin Cline, amerikanischer Schauspieler, der in Komödien glänzt: „Ein Fisch Namens Wanda", „French Kiss"; Marc-Kevin Goellner, deutscher Tennisprofi.

Lars, Laura

Herkunft und Geschichte

Diese beiden beliebten Vornamen haben eine gemeinsame Herkunft: Lars ist eine schwedische Kurzform von Laurentius, Laura eine Kurzform von Laurentia.
Lars, seit Anfang des 16. Jahrhunderts in Schweden verbreitet, ist verkürzt über Laurens, Lares aus Laurentius (lateinisch) entstanden, ursprünglich ein römischer Herkunftsname, „der Mann aus Laurentum“ (Mittelitalien); danach angelehnt an *laurus* (lateinisch) „mit Lorbeeren bekränzt“.
Der Name verbreitete sich besonders im Norden der Bundesrepublik: 1972 lag er in Flensburg an 7., 1973 in Hamburg an 19., 1976 in Bielefeld an 13. Stelle.

Bekannte Namensträger

Lars Riedel, deutscher Diskuswerfer, Gewinner der Goldmedaille in Atlanta; Laurence Olivier (1907–1989), einer der herausragenden englischen Schauspieler dieses Jahrhunderts.

Kurzformen

Schwedisch Las, Lasse; finnisch Lassi; frisch Larry; englisch Laurence.

Namenstag

10. August.

Laura

Laura ist die aus Italien kommende Kurzform zu Laurentia, weibliche Form zu Laurentius in obiger Bedeutung.
Frühe literarische Verbreitung fand die „Laura“ in Sonetten, Canzonen und Balladen des italienischen Dichters Francesco Petrarca (1304–1374). Später folgten Friedrich Schillers „Gedichte an Laura“ (1782). „Laura“ war 1988 ein erfolgreiches Kriminalstück auf deutschen Bühnen.

Der Name stand 1981 in England an 8. Stelle, 1985 in Darmstadt an 10. Stelle. In Zürich kam Laura 1984/85 auf den 10., in Bern 1986 auf den 17. Platz. Seit 1990 steht der Vorname in Deutschland hoch im Kurs. In Westdeutschland befindet er sich seither ununterbrochen in der Spitzengruppe der 10 beliebtesten Vornamen. In den neuen Bundesländern bewegt sich der Vorname dagegen erst seit 1993 steil nach oben und hält seit 1995 den 3. Platz. Der aktuelle Stand in Westdeutschland ist Platz 5.

Bekannte Namensträgerinnen Heilige Laura von Cordova (1304–1374), Märtyrerin; Laura Biagotti, italienische Modeschöpferin; Lore Lorentz (1920–1994), bekannte Kabarettistin, Gründerin und Leiterin des „Düsseldorfer Komödchens“; Lale Andersen (1911–1972), Sängerin, ihr bekanntestes Lied war „Lili Marlen“.

Kurzformen und weitere Formen In Deutschland ist Laura in zahlreichen Kurz- und Verkleinerungsformen sowie Weiterbildungen populär geworden: Lore, Lorene, Lorle, Lorette, Lorina, Lorella; englisch Laureen; niederländisch Laureina, Laurenza; serbisch Lora; slawisch Lara; skandinavisch Larsina, Lale.

Namenstag 15. Januar, 1., 17., 28. Juni.

Lea

Herkunft und Geschichte

Lea, ein biblischer Name, ist im Alten Testament eine der Frauen Jakobs, die Schwester Rahels und wie diese eine Stammmutter Israels. *Lē'āh* (hebräisch) bedeutet „junge Kuh, Wildkuh, Antilope" oder „die sich vergeblich abmüht". Die Geschichte von Lea und Rahel, den zwei Frauen um Jakob, ist im 1. Buch Mose ab Kapitel 29 nachzulesen, ein Lehrstück damaliger Eheverhältnisse.

Verehrt wurde schon im Mittelalter eine heilige Lea († 384), eine vornehme römische Witwe aus dem Kreis frommer Frauen um den heiligen Hieronymus. Doch ist Lea erst nach Luthers Bibelübersetzung, nach der Reformation in Deutschland bekanntgeworden, in dieser Zeit ebenfalls in England bei den Puritanern.

Bis 1979 in der Schweiz noch selten, kam Lea 1984/85 in Zürich in die Spitzengruppe der 20 beliebtesten Mädchennamen. Zugleich nahm ihr Schwestername Rahel an Bedeutung zu. In England ist heute Leah im Gebrauch, weil der Name überdeckt wurde durch den modernen Mädchennamen Lee, Nebenform Lea, altenglische Bedeutung „Wiese".

Bekannte Namensträgerinnen

Lea Rosh, streitbare Fernsehjournalistin, Moderatorin und Autorin; Lea Rabin, Witwe des ermordeten israelischen Ministerpräsidenten Yitzhak Rabin, setzt sich weiter für den Friedensprozess ein.

Fremdsprachige Namensformen

Englisch Leah; italienisch Lia; niederländisch Lea.

Namenstag

22. März.

Lena

Herkunft und Geschichte

1996 erklomm ein neuer Name den 10. Rang unter den beliebtesten Mädchennamen Westdeutschlands: Lena. Dahinter verbirgt sich nichts weiter als die Kurzform von Helene oder Magdalena. Helene geht auf einen griechischen Ursprung zurück und bedeutet „Die Sonnenhafte, die Glänzende". Im Mittelalter galten die heilige Helena und die sagenumwobene Schöne Helena, Tochter von Zeus und Leda, deren Entführung durch Paris den Trojanischen Krieg auslöste, als Namenspate. Magdalena dagegen ist ein aus der Bibel übernommener Vorname hebräischen Ursprungs, „die aus Magdala stammende". Gemeint ist damit Maria Magdalena, eine der treuesten Jüngerinnen Jesus. Sie entdeckte am Ostermorgen als erste sein leeres Grab. Vor allem der Doppelname Maria Magdalena war bis in die sechziger Jahre sehr populär. Beinahe in Vergessenheit geraten, ließ Jacques Offenbach durch seine Operette „Die schöne Helena" (1864) den Namen wieder aufleben. Wer um 1900 auf der Höhe der Zeit sein wollte, nannte seine Tochter der Mode entsprechend zwar nicht Helena, aber Helene. Während der Stern von Helene und Magdalena in den folgenden Jahren langsam untergegangen ist, feierte der Name in der Kurzform Lena ein erfolgreiches Comeback.

Bekannte Namensträgerinnen

Lena Christ (1881–1920), deutsche Schriftstellerin; Lena Stolze, Schauspielerin, bekannt durch ihre Darstellung der „Sophie Scholl", Verfilmung des Lebens der bekannten Widerstandskämpferin; Leni Riefenstahl (*1902), nicht unumstrittene Regisseurin und Fotografin, die in ihren bekanntesten Werken Sportereignisse der Hitler-Ära porträtierte und heute Unterwasserfilme dreht.

Andere Formen

Lene, Leni, Lenka.

Namenstage

18. August, 22. Juli.

Lukas

Herkunft und Geschichte

Lukas, lateinisch Lucas, gehört zu Lucanus, ursprünglich ein Herkunftsname für den Mann „aus (der Landschaft) Lucania" in Unteritalien. Im Gegensatz zu dieser sachlichen Erklärung des Namens steht die glorifizierte der Heiligenlegende: „Lukas kommt von *lux* 'Licht'; er war ein Licht in der Welt, weil er alle Welt durchleuchtete."

Lukas, der Verfasser des Lukas-Evangeliums und Gefährte des Apostels Paulus, war Arzt aus dem syrischen Antiochien. Seine Verehrung und Namenverbreitung erfolgte, nachdem im Jahre 357 seine Reliquien aus Theben nach Konstantinopel in die Apostelkirche überführt wurden.

Der Taufname Lukas war seit dem Mittelalter im oberdeutschen Raum verbreitet. In Österreich und der Schweiz erfreute er sich zunehmender Beliebtheit. 1983 stand Lukas in Bern an 7., 1984/85 in Zürich an 17., in Tirol, Vorarlberg und Wien an 19. Stelle. 1994 tauchte der Vorname in Westdeutschland plötzlich auf Platz 5 in der Beliebtheitsskala auf. In den neuen Bundesländern kam der Erfolg erst 1995 mit Platz 6. Allerdings scheint Lukas voll im Trend zu liegen, denn 1996 belegte er einhellig in Ost und West Platz 2.

Bekannte Namensträger

Lucas Cranach der Ältere (1472–1553), Maler und Grafiker; Lucas Cranach der Jüngere (1515–1586), deutscher Maler.

Kurzformen

Luc, Luk, Laux, Lux; niederrheinisch Luckes, Kas.

Fremdsprachige Namensformen

Englisch Luce, Luke; französisch Lucas, Luc; italienisch Luca; spanisch Lucas; niederländisch Lucas, Loeks, Lukes, Luuk(s); polnisch Lucja; russisch Luka.

Namenstag

18. Oktober.

Manfred

Herkunft und Geschichte

Manfred ist der alte westfränkische Name Manifred des 8. Jahrhunderts, zu althochdeutsch *man* „Mann“ und *fridu* „Friede“. Der Name wurde von den normannischen Eroberern 1066 nach England gebracht. Ein Name, der längst verklungen war, als Lord Byrons „Manfred, Dramatisches Gedicht“ 1817 in drei Akten erschien und 1834 in London uraufgeführt wurde; 1852 wurde es von Robert Schumann vertont. Der einem Schauerroman Walpoles entlehnte Name „Manfred“ bezieht sich auf den Stauferkönig Manfred von Sizilien (1231–1266), Sohn Kaiser Friedrichs II., mit dem die Hohenstaufer untergingen.
Um 1900 wurde Manfred vom Adel und dem wohlhabenden Bürgertum bevorzugt. 1960 stand der Name an 6. Stelle in der Bundesrepublik, 1973 nahm er in Hamburg den 25. Platz der häufigsten männlichen Vornamen ein. In Österreich belegte Manfred 1984 Rang 42.

Bekannte Namensträger

Manfred von Richthofen (1892–1918), der erfolgreichste deutsche Jagdflieger, bekannt als „roter Baron“; Manfred Hausmann (1898–1986), Schriftsteller; Manfred Krug (*1937), Berliner Schauspieler („Liebling Kreuzberg“); Manfred Rommel (*1928), CDU-Politiker, bis 1997 Oberbürgermeister von Stuttgart; Manfred von Ardenne (*1907), deutscher Physiker der Funk- und Fernsehtechnik.

Kurzformen

Fred, Mani.

Fremdsprachige Namensformen

Italienisch Manfredo.

Namenstag

28. Januar.

Manuel, Manuela

Herkunft und Geschichte

Die italienisch-spanischen Namen Manuel und Manuela sind beliebte Modenamen geworden und haben sich infolge des Spanien- und Italientourismus verbreitet. Nur wenige werden daran denken, dass sie als Kurzformen zu den griechisch-lateinischen Namen Emanuel und Emanuela gehören, Nebenformen des hebräischen *Immanuel* „Gott (ist) mit uns“. Der biblische Imma'nuel ist der symbolische Name Jesu: „Eine Jungfrau ... wird einen Sohn gebären, den wird sie nennen Immanuel“ (Jesaja 7,14).
Um 1900 war der männliche Vorname Emanuel, Immanuel kaum gebräuchlich. Erst nach 1960 wurden die Kurzformen Manuel, Manuela durch Auslandsreisen, Schlager und Schlagersängerinnen bekannt.
Manuela war 1966 bis 1975 regional in der damaligen DDR in der Spitzengruppe, 1973 lag der Name im Südwesten Deutschlands an 14. Stelle. 1981 kam Manuel in München auf Platz 21, Manuela auf Platz 17. In Österreich lag Manuel 1984/86 auf Rang 10, Manuela auf Rang 15. In der Schweiz gehörte Manuela 1979 bis 1986 zur Spitzengruppe, Manuel seit 1980.

Kurzformen

Zu Manuel: Manel, Manu, Mendel, Nallo; englisch Mannie, Manny

Fremdsprachige Namensformen

Italienisch Manuele; spanisch Manuel, Manolo, Manolito; niederländisch Maan, Mane; rumänisch Manoil; russisch Manuil.

Kurzform

Zu Manuela: Mana.

Fremdsprachige Namensformen

Französisch Manuelle; italienisch/spanisch Manuela, Manuelita.

Namenstage

Manuel 1. Oktober; Manuela 1. Januar, 15. Juli.

Marcel

Herkunft und Geschichte

Marcel, ausgesprochen mar'sel, ist die in Frankreich und in der Schweiz beliebte Namenform zu Marcellus (lateinisch), eine Weiterbildung von Marcus „Sohn, Schützling des Mars", im Altertum ein Beiname der römischen claudischen Familie, Claudius Marcellus. Danach trugen mehrere Heilige und Päpste diesen Namen. Bischof Marcel von Paris († 436) hat zur Verbreitung des Namens in Frankreich beigetragen.
Marcel stand 1979 an 15. Stelle der in der Schweiz seit 25 Jahren beliebtesten männlichen Vornamen. In der Bundesrepublik erreichte Marcel 1988 regional den 4. Platz. In den neuen Bundesländern fand der Name keinen Anklang, aber in den alten Bundesländern gehört Marcel nach wie vor zu den beliebtesten Vornamen. Mit Unterbrechung von 1992 und 1993 belegt der Name seit 1991 einen Platz unter den ersten 10. 1996 stand er auf Platz 8.

Bekannte Namensträger

Marcel Proust (1871–1922), französischer Schriftsteller; Marcel Reich-Ranicki (*1920), deutscher Schriftsteller und Literaturkritiker; Marcel Reif, deutscher Sportjournalist; Marcel Marceau (*1923), Pantomime; Marcello Mastroianni (1925–1997), italienischer Schauspieler.

Nebenform

Marzel.

Fremdsprachige Namensformen

Englisch Marcel wird zu Marcus und Mark gestellt, Marchell; französisch Marcel, Marcelini, Marcellin; italienisch Marcello, Marcellino; spanisch Marcelo; baskisch Markel; niederländisch auch Marcelis, Marcelus; polnisch Marceli; russisch Markell; ungarisch Marcell.
Marcella, Marcelle ist die weibliche Form zu Marcel; spanisch Marcela.

Namenstage

16. Januar, 3. November.

Maria, Marie

Maria ist die „Mutter Gottes“, die Mutter Jesu Christi. Die Herkunft des seit alters her bekannten und beliebten Frauennamens ist immer noch nicht sicher zu erklären. Unter den rund 60 Deutungsversuchen zu diesem biblischen Namen scheint die Erklärung am sinnvollsten, dass die hebräische *Mirjam* über Marijam, Marianne zur griechischen Mariam geworden ist. Danach heißt die Mutter Jesu dann stets Maria. Ursprünglich hat Marjam die Bedeutung „Widerspenstige, Ungezähmte“, in zweiter Hinsicht „Bitterkeit, Betrübnis“. Der Name der Mutter Jesu wurde aus religiöser Scheu jahrhundertelang als Taufname gemieden. Erst vom 15. Jahrhundert an wird Maria Taufname, insbesondere in der Doppelform Anna Maria. Seit der Reformation ist dann Marie in evangelischen Volksteilen die häufige und sehr beliebte volkstümliche Form geworden. Seit dieser Zeit gibt es auch in allen deutschen Landschaften eine unübersehbare Zahl von Kurz- und Koseformen.
Die Beliebtheit des Namens ist zeitlos. Regional in der Spitzengruppe, zum Beispiel 1978 in Freiburg und in Mainz an 3. Stelle, war Maria 1984, 1985 und 1988 unter den 10 häufigsten Mädchennamen der Bundesrepublik. In Österreich lag Maria 1984/86 auf Rang 22; in der Schweiz, in Zürich 1984/85 auf Platz 6, in Bern 1986 auf Platz 4. Seit 1983 ist Mirjam in Bern in der Spitzengruppe.
Seit 1988, mit Ausnahme von 1989, ist Maria aus der Spitzengruppe der Mädchennamen nicht wegzudenken. Vor allem in Ostdeutschland eroberte sich der Vorname rasch einen Platz unter den ersten 3. Zumindest in dieser Frage gibt es keine Meinungsverschiedenheiten: Maria steht in Ost und West seit 1995 unangefochten auf Platz 1.

Bildende Kunst

Das Mittelalter hat uns zahlreiche Muttergottes- und Madonnenbilder überliefert, darunter: „Maria mit dem Kind“ (1499) von Hans Holbein dem Älteren; „Maria im Rosengarten“,

Ölgemälde (um 1400) von Stefan Lochner; „Schutzmantel-Maria“ (um 1480) von Michel Erhart, Berlin, Skulpturengalerie; „Muttergottes mit Kind“, Glasmalerei, Anfang 14. Jahrhundert in der Wiener Neustadt.

Literatur „Die Namen der Maria“ (1928) von Lothar Schreyer. „Maria Magdalena“, Bürgerliches Trauerspiel (1843) von Friedrich Hebbel; „Maria auf dem Berge“, ein oberschlesisches Volkslied (1841) und „Maria, die wollt wandern gehn“, ein Volkslied aus dem Siebengebirge, sollen stellvertretend für die zahlreichen Marienlieder stehen.

Bekannte Namensträgerinnen Maria Stuart (1542–1587), Königin von Schottland, wurde 1587 als Gegnerin von Elisabeth I. von England hingerichtet; Maria Theresia (1717–1780), österreichische Kaiserin; Marie Antoinette (1755–1793), französische Königin, die in den Revolutionswirren hingerichtet wurde; Marie Curie (1867–1934), polnisch-französische Chemikerin und Nobelpreisträgerin; Maria Callas (1923–1977), griechische Sängerin, eine der herausragendsten Sopranstimmen des 20. Jahrhunderts; Maria Wimmer (1911–1996), glänzende Theaterschauspielerin; Maria Schell (*1926), deutsche Schauspielerin; Marianne Hoppe (*1911), Filmschauspielerin und Charakterdarstellerin; Marianne Koch, früher Schauspielerin, heute Ärztin und Fernsehmoderatorin; Marianne Sägebrecht (*1945), deutsche Schauspielerin („Out of Rosenheim“); Marianne Faithful, englische Sängerin mit charakteristischer Stimme; Marion Gräfin Dönhoff, Herausgeberin der „Zeit“ und Autorin zahlreicher Bücher („Namen die keiner mehr nennt“); Marion von Haaren, Fernsehjournalistin und Wirtschaftsexpertin; Mariele Millowitsch, Tierärztin und Seriendarstellerin.

Kurzformen Unter den beliebten modernen Kurzformen zu Maria, Marie sind: Maike, Meike, Mareike, Mareile, Marika, Marita, Marianne, Marion, Marieta, Mia, Ria, zahlreiche Doppelformen und die ur-

sprüngliche hebräische Form Mirjam. Die niederdeutschen Kurzformen Maike, Meike und Mareike waren regional seit den siebziger Jahren in der Spitzengruppe. Mirjam stand 1985 in Darmstadt zusammen mit Anna an 3. Stelle. In der Schweiz ist Mirjam neben Miriam beliebt.

Weitere Kurz- und Koseformen

Maili, Maieli, Maja, Marei, Mareili, Mariedel, Marieke, Mariele, Mariechen, Mariel, Marielle, Marjelle, Mieke, Miel, Mieze, Miezel, Mietzerl, Merga, Merge, Mergel, Miri, Mirl, Mitzi, Mizzi.

Fremdsprachige Namensformen

Englisch Mary, May, Molly; walisisch Mair; schottisch Minnie; irisch Maire, Maureen, Moire; französisch Marie, Marion, Manon; italienisch Maria, Mariella, Marietta, Marita, Mariola, Mietta; spanisch Maria, Marica, Marihuela; niederländisch auch Marieke, Marielle, Marrie, Marije, Mie; russisch Marija, Meri; ungarisch Manga, Manka, Mara, Mari, Marika, Marinka, Marinna, Mariska, Marka, Maruska, Mira, Rika.

Maria ist als Zusatzname (neben einem eindeutigen männlichen Vornamen) für Knaben katholischer Konfession erlaubt, jedoch bei Namensänderungen als männlicher Vorname nicht zulässig (Bundesverwaltungsgericht vom 6. 12. 1968).

Namenstage

Sämtliche Marienfeste, insbesondere 23. Januar, 2. Februar, 25. März, 27. April, 26. Mai, 15. August, 12. September, 8. Dezember.

Mario

Herkunft und Geschichte

Mario ist die italienisch-spanische Form des lateinischen Namens Marius und bedeutete ursprünglich „zur römischen Familie der Marier gehörend", *mari* (lateinisch) bedeutet „zur See, zum Meer".
Marius war einer der klassischen Namen, die während der Renaissance im 16. Jahrhundert wieder eingeführt und populär wurden. Der Namenstag am 19. Januar geht auf einen Mario (Marius), um 300 Märtyrer in Rom, zurück, der mit anderen unter Diokletian wegen seines christlichen Glaubens verfolgt wurde. Die Reliquien kamen nach Prüm in der Eifel und nach Seligenstadt am Main.
In den achtziger Jahren wurde der Vorname Mario insbesondere in Österreich beliebt; dort stand er 1986 an 16. Stelle, im Burgenland an 15. Stelle.

Bekannte Namensträger

Mario Adorf (*1930 in Zürich), Schauspieler, Sänger und Schriftsteller mit Wohnsitz in Rom; Mario del Monaco (1915–1982), italienischer Sänger; Mario Vargas Llosa, peruanischer Schriftsteller, Träger des Friedenspreises des Deutschen Buchhandels 1996; Mario Puzo, amerikanischer Novellenschreiber („Der Pate"); Marius Müller-Westernhagen (*1948), deutscher Rocksänger.

Literatur

„Mario und der Zauberer. Ein tragisches Reiseerlebnis". Novellistische Erzählung (1930) von Thomas Mann.

Kurzformen

Überwiegend niederländisch: Mar, Mari, Marjo, Mas, Mos.

Fremdsprachige Namensformen

Englisch/französisch Marius; italienisch/spanisch Mario; niederländisch Marius; portugiesisch auch Maris, Maro; russisch Marij; slowenisch Marjo.

Namenstage

19. Januar, 26. Februar.

Mark, Marko, Markus, Marc, Marco

Herkunft und Geschichte

Markus, lateinisch Marcus, bezeichnet den „Sohn, Schützling des Mars“, des römischen Kriegsgottes. Der Evangelist Markus soll Begleiter des Apostels Paulus auf seiner ersten Missionsreise gewesen sein. Als Schüler und Dolmetscher des Apostels Petrus predigte er in Alexandrien und ist dort vermutlich 66/67 gestorben. Seine Verehrung ging von Venedig aus, wohin seine Reliquien übertragen worden sein sollen. Von Italien breitete sich der Name nach Norden aus.
Markus und Mark standen 1961 bis 1974 in der Gesamtauswertung der Bundesrepublik an 8. Stelle, wechselten zwischen 1977 und 1981 vom 4. bis 8. Platz und erfreuten sich weit verbreiteter Beliebtheit. In Österreich erreichte Markus 1984 den 4. Platz, in der Schweiz stand er 1979 an 3. Stelle der Auswertung von 25 Jahren, um in neuerer Zeit von den Modenamen Marc/Marco aus der Spitzenposition verdrängt zu werden. In England war Mark 1960 in die Spitzengruppe und 1968 und 1970/71 an die 1. Stelle gerückt. Marco/Marko stand 1973/74 in Bernau an 1., in Ost-Berlin an 6., in Hamburg an 7. Stelle.

Bekannte Namensträger

Marc Aurel (121–10), römischer Kaiser; Marc Chagall (1887–1985), russisch-französischer Maler; Marc Giradelli (*1963), österreichischer Skiläufer, der für Luxemburg startete und 1997 seine sportliche Laufbahn beendete; Markus Wasmeier (*1963), Skiläufer und Goldmedaillengewinner, der seine aktive Karriere inzwischen beendet hat; Markus Lüppertz (*1941), deutscher Maler und Bildhauer; Mark Twain (1835–1910), amerikanischer Schriftsteller („Huckleberry Finn“); Mark Spitz (*1950), einer der erfolgreichsten amerikanischen Schwimmer aller Zeiten, heute Geschäftsmann.

Kurzformen

Marc, Marco, Mark, Marko, Marke, Marx.

Namenstag

25. April.

Martin, Martina

Herkunft und Geschichte

Der schon im 9. bis 12. Jahrhundert im Kölner und Trierer Raum verbreitete Martin, Martinus gehört zu Mars, Martis, dem Namen des römischen Kriegsgottes, in der Bedeutung „Kriegsglück, Tapferkeit“. Der Name des heiligen Martin, Bischof von Tours (um 316–397), wurde durch die Legende seiner Mantelteilung mit einem frierenden Bettler im Jahre 334 am Stadttor von Amiens volkstümlich. Martin hießen fünf Päpste; seit der Reformation wurde der Name durch Martin Luther (1483–1546) erneut im Volk beliebt.

1957/58 hatte der Name in der Bundesrepublik den 5. Platz erreicht, um dann bis 1974 regional in der Spitzengruppe zu bleiben. In der Schweiz stand Martin 1979 an 7. Stelle; in Bern blieb er 1979 bis 1985 in der Spitzengruppe; in Österreich stand Martin 1984/86 an 8. Stelle. Inzwischen hat der Name ein wenig von seiner Beliebtheit eingebüßt und belegt keinen Platz mehr in der Spitzengruppe.

Kurzformen

Mart, Marte, Marti, Martel, Märti, Märtel

Martina, die weibliche Form, erreichte in den 70er Jahren den 13. Platz und war danach noch regional in der Spitzengruppe. In Österreich stand Martina 1984 an 8. Stelle, in der Schweiz gehörte der Name von 1979 bis 1986 zur Spitzengruppe.

Bekannte Namensträger und Namensträgerinnen

Martin Heidegger (1889–1976), deutscher Philosoph; Martin Niemöller (1892–1984), deutscher evangelischer Theologe; Martin Luther King (1929–1968), amerikanischer Schwarzenführer und Kämpfer gegen die Rassendiskriminierung; Martin Walser (*1927), deutscher Schriftsteller; Martin Benrath, deutscher Schauspieler; Martin Lüttge (*1943), deutscher Schauspieler, Martina Navratilova (USA), erfolgreiche Tennisspielerin.

Namenstage

Martin 11. November; Martina 1. und 30. Januar.

Matthias

Herkunft und Geschichte

Matthia (hebräisch) oder *maththias* (griechisch) bedeutet „Geschenk Gottes". Der Apostelname Matthias verbreitete sich im Mittelalter in Deutschland neben dem des Evangelisten Matthäus. Das Volk vermochte beide wegen ihres ähnlichen Namens kaum auseinanderzuhalten, sodass man Matthäus zur Unterscheidung den „Sommermatheis" nannte, den Matthias dagegen wegen seines Gedenktages im Februar den „Wintermatheis". Seine im 4. Jahrhundert nach Trier gebrachten Reliquien, seit 1127 in der St. Matthias-Basilika, wurden zum beliebten Ziel für Wallfahrten.
Matthias stand 1973 in Südwestdeutschland an 6. Stelle und war von 1977 an unter den 10 beliebtesten männlichen Vornamen in der Bundesrepublik. In der Schweiz gehörte der Name 1979 bis 1986 zur Spitzengruppe, in Österreich erreichte er 1984/86 Rang 14. Zur Zeit steht Matthias auf der Beliebtheitsskala etwas weiter unten.

Bekannte Namensträger

Matthias Claudius (1740–1815), volkstümlicher Lyriker; Matthias Wiemann (1902–1969), Schauspieler; Matthias Wissmann (*1949), CDU-Politiker und Bundesverkehrsminister; Matthias Richling (*1953), deutscher Kabarettist; Mathieu Carrière, deutscher Schauspieler.

Kurzformen

Deis, Hias, Hies, Hiesl, Mattes, Matz, Theis, Thies; westfälisch Tigges.

Fremdsprachige Namensformen

Englisch Matthew, Mat, Matt, Matty; französisch Mathieu, Mathie; italienisch Mattia; spanisch Matías; niederländisch Matthijs, Ties; finnisch Matti; norwegisch Mattis.

Namenstag

24. Februar.

Maximilian, Max

Der Name Maximilian leitet sich aus dem Lateinischen *maximus* „der Größte, Älteste, Erhabenste" her. Ursprünglich als römischer Beiname und Ehrentitel gedacht, schmückten sich durch die Jahrhunderte vor allem österreichische und bayerische Würdenträger gern mit diesem Namen. Dazu gehörte der um 700 lebende legendäre heilige Maximilian von Cellia (Cilli) ebenso wie der deutsche Kaiser Maximilian I. (1459–1519), unter dessen Herrschaft Habsburg zur mächtigsten Dynastie Europas aufstieg. Maximilian II. (1527–1576) gewährte Religionsfreiheit und beendete den Türkenkrieg. Seit Anfang der neunziger Jahre tauchte der beinahe in Vergessenheit geratene Vorname wie Phönix aus der Asche wieder auf und eroberte sich 1992 auf Anhieb in Ost und West Platz 8 und 9 unter den beliebtesten Namen. Von da an ging es steil bergauf, und heute zählt Maximilian in den alten Bundesländern zur Spitzengruppe und führt in den neuen Bundesländern die Liste der beliebtesten Vornamen an.

Maximiliane, die weibliche Form von Maximilian, hat sich nicht durchgesetzt. Ganz im Gegenteil zu Max, der Kurzform des Vornamens, der seit der Renaissance sehr beliebt ist und vor allem in Süddeutschland Verbreitung fand.

Bekannte Namensträger

Max Planck (1858–1947), Physiker, Begründer der Quantentheorie, erhielt 1918 den Nobelpreis für Physik; Max Frisch (1911–1991), Schweizer Schriftsteller („Stiller") und Friedenspreisträger des Deutschen Buchhandels; Max Schmeling (*1905), von 1930 bis 1932 Boxweltmeister im Schwergewicht.

Fremdsprachige Namensformen

Englisch Maximilian; französisch Maximilien, Maxence; italienisch Massimiliano, Massimo.

Melanie

Herkunft und Geschichte

In der hochdeutschen Aussprache stehen gleichberechtigt nebeneinander: me'la:ni, mela'ni:, 'me:lani. Melanie „die Dunkelfarbige, Schwarze“ ist griechischer Herkunft, *mélas* bedeutet „schwarz“, *melanía* „mit schwarzem Fleck“; Melania war bereits im Altertum ein griechischer Frauenname.
Die heilige Melania die Jüngere (um 388–439) pilgerte von Rom nach Jerusalem und lebte seit 417 in dem von ihr gegründeten Kloster auf dem Ölberg bei Jerusalem; sie war eine sehr gebildete Frau und eine große Wohltäterin. Durch die mittelalterliche Verehrung in Frankreich war der Name dort recht gebräuchlich. Er wurde von den Hugenotten später weiter verbreitet.
Nach dem Zweiten Weltkrieg setzte dann eine größere Verbreitung ein. Melanie hatte 1973 in Hamburg Platz 4, 1977 in der Bundesrepublik Platz 5 der Spitzengruppe erreicht und hielt sich bis 1984 zwischen dem 3. bis 7. Platz. In Österreich lag Melanie 1984 bis 1986 auf Rang 15; in der Schweiz gehörte der Name 1979 bis 1986 zur Spitzengruppe der Beliebtheitsskala.

Literatur

In Theodor Fontanes „Berliner Roman“ L'Adultera (Die Ehebrecherin) ist Melanie die Hauptperson; Melanie (Melly) Wilkes ist eine der vier Hauptgestalten in Margaret Mitchells Buch „Vom Winde verweht“ (deutsch 1937).

Bekannte Namensträgerin

Melanie Griffith, amerikanische Filmschauspielerin.

Fremdsprachige Namensformen

Englisch Melany, Melony, Mellony, Melly, Mel; französisch Mélanie; italienisch/spanisch Melania, Mela; niederländisch auch Meeltje, Mele, Mille; mazedonisch Mela, Melanka, Menka; russisch Melanija, Malanka.

Namenstag

31. Dezember.

Michael, Michaela, Michelle

Herkunft und Geschichte

Der biblische Name des Erzengels Michael kommt aus dem Hebräischen und bedeutet „wer ist wie Gott?“. Seit dem 5. Jahrhundert wird das Fest des Erzengels Michael am 29. September, dem Michaelistag, gefeiert. Der heilige Michael war Schutzpatron des alten deutschen Reiches. Michel, die Kurzform von Michael, war im Mittelalter ein weit verbreiteter Bauernname; daraus wurde der „deutsche Michel“, die Verkörperung des deutschen Volkstums. Flugblätter und Holzschnitte des vorigen Jahrhunderts zeigten ihn als verträumten, zipfelmützigen Bauernburschen, was dazu führte, dass der Name in Deutschland unbeliebt wurde.
Erst in der Nachkriegszeit ist dieses Negativbild verblasst. Michael stand in der Bundesrepublik 1957 bis 1960 und 1977 bis 1981 an 2. Stelle der beliebtesten Namen. In Österreich hielt Michael 1984 und 1986 den 1. Rang. Auch in der Schweiz war der Name 1980/1981 in der Spitzengruppe, in Bern lag er 1983 bis 1986 auf Platz 1.

Literatur

„Michael Kohlhaas“, Erzählung (1810) von Heinrich von Kleist; „Michael Kohlhaas, der Rebell“, Film (1969); „Die Michaelskinder“, Roman (1930) von Martin Beheim-Schwarzbach; „Michaels Rückkehr“, Erzählung (1950) von Leonhard Frank.

Bekannte Namensträger

Michael Gorbatschow, ehemaliger russischer Präsident, der die Wiedervereinigung Deutschlands gefördert hat; Michael Ende (1929–1994), einer der erfolgreichsten Kinderbuchautoren („Die unendliche Geschichte“); Michael Schumacher (*1969), 1. deutscher Formel-I-Weltmeister; Michael Stich (*1968), deutscher Weltklasse-Tennisspieler; Michael Jackson (*1958), amerikanischer Popmusiker der Superlative; Michael Douglas (*1944), amerikanischer Schauspieler und Oscarpreisträger; Michael Jordan (*1963), Superstar der amerikanischen Basketball-Szene.

Michi, Mike, Mikel; niederdeutsch Mekel. **Kurzformen**

Englisch Mike; französisch Michel; italienisch Michele; spanisch Miguel; niederländisch Michael; skandinavisch Mikael, Mickel; russisch Michail, Michal, Mischa; ungarisch Mihály, Mika, Mikó. **Fremdsprachige Namensformen**

Michaela

Die weibliche Form Michaela war 1973 noch unter den 10 beliebtesten Namen in Südwestdeutschland und kam 1984/86 in Österreich auf Rang 14.

Michaela May (*1955), deutsche Schauspielerin. **Bekannte Namensträgerin**

Michael 29. September; Michaela 24. August. **Namenstage**

Michelle

Seit 1996 ist Michelle, die sowohl im Englischen als auch im Französischen gebräuchliche Form von Michaela, sehr populär in den neuen Bundesländern.

Michelle Pfeiffer (*1957), amerikanische Filmschauspielerin. **Bekannte Namensträgerin**

Fremdsprachige Namensformen: italienisch Micaela; französisch Michele, Michelle; englisch Michelle; dänisch Mikala; slawisch Mihala, Mihaela. **Fremdsprachige Namensformen**

24. August. **Namenstag**

Monika

Herkunft und Geschichte

Monika, Monica ist die weibliche Form zu Monico „der Abgesonderte, Klosterbruder" und zum alten griechischen Männernamen Monikos, Monichos. Der Name kommt von *monachos* und bedeutet „einzeln, allein lebend, Einsiedler, Mönch". Monica war die Mutter des heiligen Augustinus (†387). Sie wurde seit dem 15. Jahrhundert in Rom als anziehende Frauengestalt unter den heiligen Witwen und als Patronin der Frauen und Mütter verehrt. Über Italien kam der Name Monica in den deutschsprachigen Raum. 1979 stand er in der Schweiz an 1. Stelle der beliebtesten Mädchennamen, in Bern blieb er in der Spitzengruppe. In der Bundesrepublik lag Monika 1957/58 an 3. Stelle.

Bekannte Namensträgerinnen

Monika Holzner-Gawenus, erfolgreiche Eisschnellläuferin; Monika Wulf-Mathies (*1942), ehemalige Gewerkschaftsvorsitzende der ÖTV, heute Abgeordnete im Europaparlament; Monika Maron, deutsche Schriftstellerin; Monica Seles, amerikanische Tennisspielerin der Weltklasse. Monika Woytowicz, Schauspielerin (TV-Serien „Lindenstraße", „Schwarzwaldklinik").

Kurzformen

Mona, Mone, Moni.

Fremdsprachige Namensformen

Französisch Monique; baskisch Monike; irisch Moncha; englisch Monica.

Namenstag

Namenstag: 27. August (bis 1969: 4. Mai).

Nadja, Nadina, Nadine

Herkunft und Geschichte

Nadja ist eine russische Kurzform, mehr noch: der typische familiäre Mädchenrufname zu dem russischen Vornamen *Nadjeschda, Nadeschda* „Hoffnung". In seiner ursprünglichen Bildung und Bedeutung entspricht Nadja dem alten englischen Namen Hope, im 16. Jahrhundert von den Puritanern dem Korintherbrief des Neuen Testaments entnommen: „Nun aber bleibt Glaube, Hoffnung, Liebe", auf englisch „Faith, Hope, Charity" (1. Korintherbrief 13,13).
Nadia ist die englische Form zu Nadja, Nada eine Kürzung dazu. Nadina ist die italienische Form zu Nadeschda und die bei uns so überaus beliebt gewordene Nadine die französische Form zu Nadeschda. Nadin ist nur die Ausspracheform und sollte nicht statt der korrekten Schreibung Nadine eingetragen werden.
Nadja stand 1985 und 1986 in Bern, Nadine 1984/85 in Zürich in der Spitzengruppe; in Österreich kam Nadine nur auf Rang 48.
In der Bundesrepublik insgesamt kam Nadine 1978 vom 9. bis 1986 auf den 7. Platz der häufigsten Mädchennamen.
Seit dieser Zeit hat der Name an Popularität eingebüßt und ist aus der Spitzengruppe der Beliebtheitsskala verdrängt worden.

Bekannte Namensträgerinnen

Nadja Tiller (*1929), österreichische Schauspielerin; Nadine Gordimer (*1923), südafrikanische Schauspielerin; Nadja Auermann, deutscher Star am internationalen „Model-Himmel".

Literatur

„Nadja", Erzählung (1928) von André Breton; „Nadja", Oper (1931) von Rolf Lauckner, Musik von Eduard Künneke. Weitere slawische Kurzformen: Nadija, Nadinka; polnisch Nadzieja.

Namenstage

1. August, 1. Dezember.

Natalia, Natalie

Herkunft und Geschichte

Natalia gehört zu lateinisch *dies natalis* „Geburtstag“, in der engeren Bedeutung „die am Weihnachtstag, dem Tag der Geburt Christi Geborene“. In Goethes „Wilhelm Meisters Lehrjahre“ (1795) taucht die „Heilige“ und Amazone Natalie auf, und 1821 finden wir die Prinzessin Natalie in Kleists Schauspiel „Prinz Friedrich von Homburg“. Ein Namenbuch von 1825 erwähnt Natalie, „die Lebensfrohe, deren Namen unstreitig den Wunsch, dass ihr Schönleben eine stete Geburtstagsfeier sein möge, ausdrücken soll“ (Johann Christian Dolz, „Die Moden in den Taufnamen“).
In neuerer Zeit begann Natalie ab 1950 in Australien und von 1970 an bis 1975 in England beliebt zu werden. Seit 1983 ist Nathalie in Bern in der Spitzengruppe.
Zur Beliebtheit von Natalie und Natascha hat bei uns auch die Romanliteratur beigetragen. Die russische Natascha (aus Natalja) kann durch Tolstois Roman „Krieg und Frieden“ (1864, deutsch 1885) bereits ihren Weg nach dem Westen gefunden haben.

Literatur

Natalia, ein Mädchen aus der Taiga“, Roman (1977) von Heinz G. Konsalik; „Natascha“, Roman (1972, 1977) und „Boris und Natascha“, Roman (1973, 1976) von Ingeborg Bayer.

Bekannte Namensträgerinnen

Nathalie Sarraute (*1902), französische Schriftstellerin; Natalie Wood (1938–1981), amerikanische Schauspielerin.

Fremdsprachige Namensformen

Natali, Natalina; englisch Natalie (nete:lie), Nataly; französisch Nathalie, Noelle; italienisch/spanisch Natalia; slawisch Natalija, Natalja, Nata, Natalka, Natasa.

Namenstag

27. Juli, 25. Dezember.

Nicole und Klaus, Nikolaus

Herkunft und Geschichte

Nicole und Klaus sind zwei beliebte Kurzformen, die aus dem Heiligennamen Nikolaus entstanden sind.
Nikolaus, im 4. Jahrhundert Bischof von Myra (Kleinasien), wurde ursprünglich in der griechisch-orthodoxen Kirche verehrt, Nikólaos (griechisch) gehört zu nike „Sieg" und laós „Volksmenge". Heilige, Päpste und russische Zaren führten diesen Namen. Seit dem 10./11. Jahrhundert ist Nikolaus der volkstümliche Heilige in Deutschland. Sein Fest am 6. Dezember wird mit der Bescherung der Kinder gefeiert. Unter den zahlreichen Nebenformen, Kurz- und Koseformen zu Nikolaus halten Klaus und Nicole heute die Spitze. In Zürich ist die französische Form Nicolas neuerdings beliebt geworden.
Nicole, gesprochen ni'kol, ist die französische weibliche Form zu Nicolas, Nikolaus. Die Fernsehsserie „Ein Sommer mit Nicole", 1969 im ZDF, trug zur Verbreitung bei. 1969 an 5., 1970 und 1978 an 3. Stelle, stand Nicole bis 1983 in der Spitzengruppe der 10 beliebtesten Mädchennamen in der Bundesrepublik. Inzwischen hat der Name seine absolute Spitzenposition in Deutschland eingebüßt. 1979 lag der Name in der Schweiz an 14., 1984 in Österreich an 5. Stelle.

Bekannte Namensträgerinnen

Nicole (*1965), deutsche Schlagersängerin („Ein bisschen Frieden"); Nicole Uphoff (*1967), Dressurreiterin, mehrfache Goldmedaillengewinnerin; Nicole Heesters, deutsche Schauspielerin; Nicole Kidman, amerikanische Schauspielerin.

Klaus

Klaus, Klas, Klos, Nickel sind seit dem 13. Jahrhundert Bezeichnungen des Gabenbringers der Nikolauszeit. Der Umzug der Klausen in Bayern und Österreich, der Chläuse in der Schweiz, der Niklase und Ruhklase in Norddeutschland gehör-

ten zur Weihnachtszeit. „Bruder Klaus“, der Nikolaus von der Flüe, 1947 heiliggesprochen, ist zwar Hauptpatron der Schweiz und von Unterwalden, der Name ist aber in der Schweiz selten. Klaus stand 1957 bis 1960 an 4. Stelle der häufigsten Namen in der Bundesrepublik, danach lag er nur noch regional in der Spitzengruppe der Beliebtheitsskala.

Namenstage 6. Dezember (Nikolaustag); 25. September (Bruderklausenfest).

Olaf, Oliver

Herkunft und Geschichte

Zwei ihrer Herkunft nach ganz verschiedene Namen, der altnordische Olaf und der südländische Olivier, die sich seit 1086, nach der Eroberung Englands durch die Normannen (1066), schon früh zu Oliver überlagerten. Olaf, altisländisch Olafr, altnordisch Oleifr, Anlreifr, gehört zu ano „Ahne“ und *leifr* (altnordisch) und zu *leiba* (althochdeutsch) „Erbe“. Olav und Oluf waren alte, norwegische Königsnamen. Der Name verbreitete sich von Skandinavien aus in England und Deutschland.
Der altfranzösische Name Olivier, von olit „Olivenzweig“ und olivier „Olivenbaum“, kam als Oliverus 1086 nach England und verdrängte dort die ähnlichen Namen Oliff, Olef aus Olaf, sodass Oliver seit dem Mittelalter der in England gebräuchliche „normannische“ Vorname wurde.
Oliver wurde in der Bundesrepublik nach 1960 beliebt und war von 1966 bis 1977 in zahlreichen Städten in der Spitzengruppe; 1968 lag der Name in Stuttgart an 1., in Hamburg an 6. Stelle, 1970 in Kiel an 5., 1977 in Bielefeld an 4. Stelle. In der Schweiz gehörte er 1982 bis 1984 zur Spitzengruppe.

Bekannte Namensträger

Oliver Cromwell (1599–1658), englischer Staatsmann; Oliver Stone, amerikanischer Erfolgsregisseur.

Literatur

„Oliver Twist“, Roman 1838) von Charles Dickens; „Oliver's Story“, Roman (1977) von Erich Segal.

Fremdsprachige Namensformen

Englisch Oliver, Ol, Ollie; französisch Olivier; italienisch Oliviero; spanisch Oliver, Oliverto; dänisch Ole, Oluf; norwegisch Olav, Ola; schwedisch Olof, Olle; spanisch Olvao Olao; katalanisch Olau. In der Schweiz wird die Form Olivier neben Oliver gebraucht.

Namenstage

Olaf 29. Juli, 29. August; Oliver 11. Juli.

Pascal

Herkunft und Geschichte

Pascal ist die französisch-englische Form des lateinischen Namens Paschalis, „der zum Osterfest Gehörige", „der Österliche" spätlateinisch *pascha*, hebräisch *passah* „Osterfest". Ein Name, der früher Knaben gegeben wurde, die in der Osterzeit geboren wurden. Von Bedeutung für die spätere Verbreitung des Namens wurde Pascal (Paschalis) Babylon (1540–1592), Sohn armer spanischer Landarbeiter, Schäfer und duldsamer, dienender, liebenswerter Laienbruder bei den Franziskanern, 1592 beigesetzt in der Klosterkirche von Villareal bei Valencia, 1660 heiliggesprochen. Paschalis war der Name mehrerer Päpste des 9. bis 12. Jahrhunderts. Die Passionsspiele, die geistlichen Osterschauspiele des Mittelalters, in Deutschland, Holland, Frankreich, Flandern, in Österreich und der Schweiz haben zur Förderung beigetragen. Pascal gehört in der Schweiz und in Frankreich zu den beliebten Vornamen. 1986 stand der Name in Bern an 7., 1984/86 in Zürich an 9. Stelle.

Bekannte Namensträger

Bekannt ist Blaise Pascal (1623–1662), französischer Mathematiker, Physiker und Religionsphilosoph. „Don Pasquale" heißt eine Oper (1843) von Gaetano Donizetti.

Fremdsprachige Namensformen

Englisch Pascal; französisch Pascal; italienisch Pasquale; spanisch Pascual; katalanisch Pasqual; galicisch Pascoal; baskisch Paskal; niederländisch Paschalis, Pascalis; ostfriesisch Paschier; dänisch/norwegisch Påske, Paaske; schwedisch Paschalis; russisch Paschal', Paskal'.

Namenstage

17. Mai, 11. Februar.

Patrick, Patricia

Herkunft und Geschichte

Patrick, gesprochen 'pætrik, ist die irisch-englische Form des römischen Namens Patricius, „der Patrizier, der Altadelige, aus den ältesten römischen Familien stammend".
Patrick, der Apostel Irlands (um 386–461), war zuerst Geistlicher in Auxerre (Frankreich). Er wurde der rastlos tätige Missionar in Irland und Landespatron der „Grünen Insel".
Patrick erfreut sich seit den 1950er Jahren in der angloamerikanischen Welt steigender Beliebtheit, insbesondere bei der katholischen Bevölkerung. In der Bundesrepublik rückte Patrick bis 1988 auf Platz 6 vor, 1984 stand Patrick in Österreich an 10., in Zürich an 7. Stelle. Seit 1994 hat der Vorname seinen Platz unter den ersten 10 verloren und ist in der Beliebtheitsskala ein bisschen nach hinten gerutscht.

Bekannte Namensträger

Patrick Süskind (*1949), deutscher Schriftsteller („Das Parfüm") und Drehbuchautor; Patrick Kühnen, deutsche Tennisspieler.

Fremdsprachige Namensformen

Englische Kurzformen Pat, Paddie, Paddy; walisisch Pádraic, Pádraig, Padrig; französisch Patrice, Patric; italienisch Patrizio; spanisch Patricio; niederländisch Patricius, Patsy; russisch Patrikej, Patrikij.

Namenstag

17. März.

Patricia

Patricia, die weibliche Form zu Patricius, ist seit 1934 bis 1960 in der Spitzengruppe der englischen Mädchennamen gewesen. Insbesondere zwischen 1950 und 1960 erlebte sie einen großen Aufschwung in der angloamerikanischen Welt.

Namenstage

13. März, 17. März, 28. April, 15. August.

Paul

Herkunft und Geschichte

Paul stammt vom lateinischen *paulus* „klein" ab und war ursprünglich ein römischer Beiname. Als berühmter Namensträger gilt der Apostel Paulus, der ursprünglich den jüdischen Vornamen Saul („der Erbetene") trug und sich erst nach seiner Bekehrung zum Christentum Paulus nannte. Auf diese Begebenheit führt man auch das Sprichwort „vom Saulus zum Paulus werden" zurück. Nach dem Mittelalter, vor allem der Reformationszeit, breitete sich der Name in Deutschland aus. Anfang des 20. Jahrhunderts gehörte er zu den beliebtesten Vornamen, geriet dann aber im Lauf der Jahre beinahe in Vergessenheit. Urplötzlich ist er wieder da und genießt seit 1992 in Ostdeutschland ungeheure Popularität. 1994 eroberte sich Paul sogar den 3. Platz unter den ersten 10 und behauptete sich 1996 immer noch auf Rang 8.

Bekannte Namensträger

Paul Celan (1920–1970), Schriftsteller, surrealistische Lyrik; Paul Dahlke (1904–1984), Filmschauspieler und Charakterdarsteller; Paul Cézanne (1839–1906), französischer Maler und Grafiker; Paul Gauguin (1843–1903), französischer Maler und Bildhauer, Vorreiter des Expressionismus; Paul Hörbiger (1894–1981), österreichischer Sänger und Volksschauspieler; Paul Klee (1879–1940), schweizerisch-deutscher abstrakter Maler und Grafiker; Paul Hindemith (1895–1963), deutscher Komponist; Paul McCartney (*1942), englischer Popmusiker, Mitglied der „Beatles", 1997 von der englischen Königin in den Adelsstand erhoben; Paul Simon (*1942), amerikanischer Popmusiker; Paul Auster, amerikanischer Schriftsteller; Paul Newman (*1924), amerikanischer Filmschauspieler; Paolo Conte, singender italienischer Rechtsanwalt mit rauchiger Stimme; Pablo Picasso (1881–1973), herausragender Maler und Bildhauer des 20. Jahrhunderts; Pavel Kohut (*1928), tschechischer Schriftsteller, Mitgründer der „Charta 77".

Fremdsprachige Namensformen

Englisch und französisch Paul; italienisch Paolo; spanisch Pablo; tschechisch Pavel; russisch Pawel; finnisch Paavo.

Namenstag

29. Juni.

Paula

Die weibliche Namensform Paula war im Mittelalter beliebt und hat Mitte des 19. Jahrhunderts eine Rolle gespielt; heute findet sie kaum noch Verbreitung.

Bekannte Namensträgerinnen

Paula Modersohn-Becker (1865–1943), die frühimpressionistische Bilder malte und mit ihrem Mann, dem Maler Otto Modersohn, in der Künstlerkolonie Worpswede bei Bremen lebte und arbeitete; Paula Wessely, österreichische Schauspielerin, die das Wiener Theaterleben prägte.

Namenstag

26. Januar.

Peter, Petra

Herkunft und Geschichte

Der Apostel Simon Petrus, *petrós* (griechisch) „Felsen", bekam von Christus den Auftrag: „Du bist Petrus, und auf diesen Felsen will ich meine Gemeinde bauen." Petrus wurde als erster Bischof von Rom Oberhaupt der Christenheit, ein Vorrang, der das Primat der Päpste in der katholischen Kirche einleitete. Durch die hervorragende Stellung und Verehrung trugen zahlreiche Heilige und Päpste, Könige und Fürsten fortan den Namen Peter. Volkstümlich ist Petrus, „Himmelspförtner" und Wetterpatron zugleich. Die große Beliebtheit des Namens zeigt sich in vielen landschaftlichen Kurz- und Koseformen.
In der Nachkriegszeit hielt Peter von 1961 bis 1974 im Durchschnitt den 6. Platz der Spitzengruppe. In der Schweiz stand Peter 1979 an 2. Stelle der beliebtesten Vornamen seit 25 Jahren.

Bekannte Namensträger

Peter Paul Rubens (1577–1640), niederländischer Maler; Zar Peter der Große (1672–1725) öffnete Russland dem Westen; Peter Tschaikowsky (1840–1893) russischer Komponist; Pete Sampras, amerikanischer Tennisspieler; Pierre Brice, französischer Schauspieler („Winnetou").

Kurzformen

Pet, Pete, Petz; rheinisch Pit, Pitt, Pitter.

Fremdsprachige Namensformen

Französisch Pierre; italienisch Pietro, Piero; spanisch Pedro, Perez; skandinavisch Peder, Per, Pelle; polnisch Piotr.

Die weibliche Form Petra stand 1961 bis 1974 in der Bundesrepublik an 1. Stelle, in Wien an 3, in der DDR an 13. Stelle.

Bekannte Namensträgerinnen

Petra Kelly (1947–1992), Gründungsmitglied der „Grünen"; Petra Schürmann (*1945), Fernsehmoderatorin.

Namenstag

Peter und Petra 29. Juni.

Philipp

Herkunft und Geschichte

Philipp entspricht dem griechischen Namen Philippos „Pferdefreund", der sich aus *philos* „Freund" und *ippos* „Pferd" zusammensetzt. Im Altertum war Philipp ein beliebter Fürstenname, zum Beispiel durch Philipp II., König von Makedonien. In frühchristlicher Zeit verbreitete sich der Name durch den Apostel Philippus, Jünger Jesu, und einen weiteren Philippus, einen Prediger des Evangeliums. Im Mittelalter folgten Fürstennamen in Deutschland (König Philipp von Schwaben, Philipp der Großmütige von Hessen), Frankreich, Spanien. Um 1950 lebte der Name Philipp in der angloamerikanischen Welt in stärkerem Maße wieder auf, wohl durch die 1947 erfolgte Heirat Philipp Mountbattens, Herzog von Edinburgh, mit der 1952 gekrönten Königin Elisabeth II. 1950 stand Philipp in England auf dem 11. Platz. In der Bundesrepublik erreichte der Name 1985 und 1988 den 7. Platz. In Bern war Philipp 1983 auf dem 23. Platz, 1986 lag die französische Form Philippe auf dem 10. Platz.
Philipp gehört seit 1985, ausgenommen 1992, ununterbrochen der Spitzengruppe der beliebtesten Vornamen an. Vor allem in den neuen Bundesländern war der Name so populär, dass er von 1991 bis 1994 souverän Rang 1 belegte und auch 1996 noch auf Platz 3 steht. In den alten Bundesländern reiht sich Philipp immer unter die ersten 10 ein und stand 1996 auf Platz 7.

Bekannte Namensträger

Philipp II., 3./2. Jahrhundert v.Chr., König von Mazedonien, Vater von Alexander dem Großen; Philipp Melanchthon (1497–1560), deutscher Humanist und Reformator; Philipp Scheidemann (1865–1923), SPD-Politiker; Philipp Jenninger (*1932), CDU-Politiker; Phil Collins (*1951), englischer Sänger und Schauspieler, machte als Bandmitglied („Genesis") und solo Karriere.

Literatur	„König Philipp II.“, Roman (1938) von Hermann Kesten; „Der Traum Philipps des Zweiten“, Biographie (1954) von Edgar Maaß; „Die große Wut des Philipp Hotz“, Schauspiel (1958) von Max Frisch.
Kurzformen	Lipp, Lips, Lipps, Lippel, Flips, Phip.
Fremdsprachige Namensformen	Englisch Philip, Phil; französisch Philippe; italienisch Filippo, Lippo; spanisch Felipe; niederländisch Filippus, Filip, Flip; russisch Filipp, Flilip; mazedonisch File, Filo.
Namenstag	3. Mai.

Rahel

Herkunft und Geschichte

Rahel, ein biblischer Name, ist im Alten Testament eine der Frauen Jakobs und – wie ihre Schwester Lea – eine Stammmutter Israels durch ihre Söhne Joseph und Benjamin. Rahel, auf hebräisch *rāchēl,* bedeutet „Lamm, Schaf, Mutterschaf, Schafmutter". Im Alten Testament heißt es über Rahel schlicht „... denn sie hütete die Schafe", dazu übersetzte Martin Luther einige Verse weiter im 1. Buch Mose, Kapitel 29: „Rahel war hübsch und schön." Siehe dazu auch das unter Lea Gesagte.
Wie Lea ist Rahel, Rachel nach der Reformation in Deutschland und England bekanntgeworden – als Reaktion auf die katholische Heiligennamengebung.
Der in der Schweiz 1979 in der Gesamtwertung noch selten gegebene Mädchenname Rahel gelangte in Bern 1980 bis 1986 in die Spitzengruppe der häufigsten Vornamen.

Bekannte Namensträgerinnen

Rahel Varnhagen von Ense geb. Levin (1771–1833), eine der geistreichsten Frauen des Biedermeier, begeisterte Goetheverehrerin, pflegte Verwundete der Freiheitskriege und Cholerakranke und übte starke Wirkung auf die zeitgenössische Literatur aus („Rahel, ein Buch des Andenkens", 1834; „Aus Rahels Herzensleben", 1877); Elisa Felix, genannt Rachel (1820–1858), aus einer elsässischen jüdischen Familie, wurde zur berühmten französischen Tragödin. Rachel Kempson, englische Schauspielerin; Raquel Welch, amerikanische Filmschauspielerin.

Fremdsprachige Namensformen

Englisch Rachel; älter Rachael, Rae, Ray, Rey, Shelley, Shelly; französisch Rachel, Rachelle; italienisch Rachele; spanisch Raquel, Raquela; skandinavisch Rakel; südafrikanisch Ragie; jüdische Kurzform Chel.

Namenstag

30. September.

Rainer, Reiner

Herkunft und Geschichte

Die alten und sehr häufigen Rufnamen des 6. bis 13. Jahrhunderts, wie Rainer, Rainar, Raginher, Rainher, Reiner, gehörten zu *ragin* (gotisch) „Rat, weiser Ratschluss" und *heri* (althochdeutsch) „Heer, Kriegshaufe". Durch die germanische Bildung des Namens Rainer und seine frühe Verbreitung finden wir ihn heute in verschiedenen Varianten bei allen unseren europäischen Nachbarn.

Unter einigen Seligen der katholischen Kirche, die im 13. Jahrhundert verehrt wurden, erreichte nur Rainer, Reiner zu Osnabrück im dortigen Raum Volksverehrung.

Zwischen den zwei Weltkriegen war Rainer sehr gebräuchlich. Vielleicht hat die Begeisterung für die Literatur Rainer Maria Rilkes (1875–1926) etwas mitgespielt, der in jungen Jahren eigentlich René (Renatus) hieß. 1960 hatte Rainer den 7. Platz der beliebtesten Jungennamen in der Bundesrepublik erreicht.

Bekannte Namensträger

Rainer Werner Fassbinder (1946–1982), Schriftsteller, Theater- und Filmregisseur; Rainer Barzel (*1924), CDU-Politiker und Mitglied des Bundestages; Rainer Hunold (*1949), deutscher Serienschauspieler („Ein Fall für zwei"); Rainer Eppelmann (*1943), Theologe und CDU-Politiker; Reiner Kunze (*1933), Schriftsteller.

Kurzformen

Niederrheinisch Neres, Nieres, Reinken.

Fremdsprachige Namensformen

Englisch Rayner; französisch Rainier, Rénier, Régnier; italienisch Raniero, Rainero; spanisch Rainerio, Raniero; niederländisch Reinier, Rainerus, Raainder, Reginar, Nier; skandinavisch Ragnar, Regnar; polnisch und ungarisch Rajner; russisch Rajnerij.

Namenstag

11. April.

Ralf und Rolf

Herkunft und Geschichte

Die heutigen Kurzformen Ralf und Rolf sind ihrer englischen Herkunft nach schon früh vermischt und verwechselt worden. Ralf, Ralph erreichte England auf drei Wegen: Über das angelsächsische Raedwulf, aus Skandinavien mit dem altnordischen Namen Radulfr und durch die Normanneneroberung 1066 mit dem westgermanischen Radulf, Radolf. Alle leiten sich ab aus dem altsächsischen *rad,* auf althochdeutsch *rat* „Rat, Ratgeber" und *wolf, wulf* mit den Eigenschaften des Wolfes. Im mittelalterlichen England wurden danach die Kurzformen Raulf, Rauf, Raffe, Rolf gebraucht. Auch der Name Rolf, Roulf kam 1066 mit den Normannen nach England, er entstand aus Hrolfr, Hrodwulf (altnordisch), was unserem Vornamen Rudolf entspricht, zu althochdeutsch hruod „Ruhm" und wolf, wulf „Kraft, Stärke, Ausdauer" wie ein Wolf.
Ralf und Rolf standen 1961 bis 1974 in der Gesamtauswertung in der Bundesrepublik nebeneinander an 10. Stelle; Ralf allein 1965 in Karlsruhe und Flensburg auf Platz 4. Rolf erreichte 1966 in Köln Platz 4, 1979 in der Schweiz die 13. Stelle.

Bekannte Namensträger

Ralf Dahrendorf (*1929), Professor für Soziologie, lehrt in England, von Königin Elisabeth in den Adelsstand erhoben; Ralph Siegel, deutscher Schlagerproduzent; Ralf Bauer, deutscher Serienschauspieler und Teenageridol; Rolf Hochhuth (*1931), Schriftsteller; Rolf Schimpf, Schauspieler (TV-Serie „Der Alte", Kommissar Kress).

Statt Ralph mit dem sprachgeschichtlich falschen ph sollte die Schreibweise Ralf gewählt werden.

Namenstag

Ralf 21. Juni; Rolf 6. November.

Raphael

Herkunft und Geschichte

Der biblische Name des Erzengels Raphael steht seit 1984 unter den beliebtesten Schweizer Knabennamen. Der hebräische Engelname *raphã'el* bedeutet wörtlich „Gott heilt – als Ausdruck dafür, dass ihm nicht nur die Heilung des Menschen, sondern der ganzen seit dem Sündenfall nicht mehr 'heilen' Schöpfung übertragen ist" (A. Rosenberg).
Raphael ist im apokryphischen Buch Henoch der Schutzengel unter den drei Erzengeln: Gabriel, Michael, Raphael. Als Bote Gottes in menschlicher Gestalt begleitet Raphael im Tobiasbuch der Bibel den jungen Tobias auf der Reise und schützt ihn vor Gefahren; den älteren Tobias heilt er von der Blindheit. Raphael wird von alters her als Schutzherr aller Reisenden angerufen, auch für die letzte große Reise ins Jenseits gilt er als Beschützer; er ist Patron der Ärzte, Apotheker, Bergleute, Dachdecker, Schiffer, Kranken, Pilger, Reisenden und Auswanderer. Der Raphaelsverein wurde zum Schutz der deutschen Auswanderer 1917 gegründet.
Raphael stand 1984/85 in Zürich an 20., 1986 in Bern an 15. Stelle der häufigsten Knabennamen. In den letzten Jahren fiel der Name in der Gunst ein bisschen zurück.

Nebenformen

Rafael, Raffael.

Fremdsprachige Namensformen

Englisch Raphael; französisch Raphael; italienisch Raffaele, Raffaello; niederländisch Raffael, Raphael, Raafke, Raf; spanisch Rafael; bulgarisch, mazedonisch, rumänisch, russisch Rafail.

Namenstag

29. September, Fest aller Erzengel (früher: 24. Oktober).

Rebecca, Rebekka

Rebecca ist die neulateinische Form des biblischen Namens Rebekka, hebräisch *ribegāh*, „die Bestrickende, Fesselnde“. Es ist erstaunlich, dass biblische Namen wie Rebekka oder Sarah, früher bei uns als jüdische Namen kaum gebräuchlich, in steigendem Maße an Beliebtheit gewinnen. Sie zeigen, dass wir die Namentendenz des Dritten Reiches weit hinter uns gelassen haben.
Bereits 1850 bis 1875 hatte Rebecca in England größere Verbreitung gefunden; um 1950 war der Name stärker in den USA verbreitet. 1975 erreichte Rebecca in England den 9., 1981 den 10. Platz der beliebtesten Mädchennamen. Hier ergeben sich eindeutig Einflüsse der Literatur, des Theaters und des Films: 1850 erschien in London „Rebecca und Rowena“, eine romantische Erzählung von William M. Thackeray; 1938 der Roman „Rebecca“ von Daphne du Maurier, der bis heute erfolgreich ist. Der Stoff wurde dramatisiert und uraufgeführt in London 1940. Im gleichen Jahr verfilmte Alfred Hitchcock in den USA „Rebecca“. Bekannt ist auch noch die Rebekka in Henrik Ibsens Drama „Rosmersholm“ (1886).
1983/84 war Rebecca regional in der Bundesrepublik in die Spitzengruppe vorgedrungen. Doch in der Zwischenzeit haben die neuen Favoriten den Namen weit zurückgedrängt. In der Schweiz kommt der Name zusammen mit Rebekka auf Platz 20.

Fremdsprachige Namensformen

Englisch Rebeka, Rebekah, Becca, Beke, Beckie, Becky, Reba; französisch Rébecca; spanisch Rebeca; hebräisch Rivkah; russisch Revekka; schwedisch Rebecka.

Namenstag

23. März.

René

Herkunft und Geschichte

René, ausgesprochen re'ne, ist die französische Form des lateinischen Namens Renatus „der Wiedergeborene" (durch die Taufe). Die Heiligen – Renatus, Bischof von Sorrent im 4./5. Jahrhundert, und René, Bischof von Angers – haben wenig zur Namensverbreitung beigetragen. Vielmehr förderte der kunstverständige René I., genannt der Gute, Herzog von Anjou und Lothringen (1409–1480), auch Graf der Provence und Titularkönig von Neapel und Sizilien, durch seine Volkstümlichkeit und väterlich geführte Regierung die Beliebtheit des Namens. René ist danach aus Frankreich und der Schweiz nach Deutschland gekommen.
René erreichte 1970 in Ost-Berlin den 3., 1972/73 den 1. Platz und war auch in Bernau in der Spitzengruppe. In der Schweiz stand der Name 1979 an 11. Stelle, in Österreich 1981 an 14., 1984 an 16. Stelle. Heute steht der Name in der Skala eher weiter unten.

Bekannte Namensträger

René Descartes (1596–1650), französischer Mathematiker, Naturforscher und Philosoph; René Schickele 1883–1940), elsässischer Dichter; Max René Hesse (1885–1952), Schriftsteller; René Kollo (*1937), Opernsänger.

Literatur

„René und Rainer", Erzählung (1928) von Ina Seidel.

Fremdsprachige Namensformen

Lateinisch Renatus; englisch Rene; französisch René (Renée ist die weibliche Form); italienisch und spanisch Renato; katalanisch Renat; niederländisch Renatus, Renaat.

Namenstag

8. Oktober.

Robert

Herkunft und Geschichte

Unter den im Westfränkischen sehr beliebten Namen Hrotbert, Rodobert und Robert wurde der letztere vom 6. bis 11. Jahrhundert zum bekannten Fürstennamen: Markgraf Robert der Tapfere († 866) war der Stammvater der Kapetinger und des ersten französischen Königshauses; ihm folgte sein Sohn Robert in Franzien als westfränkischer König. Unter den Normannenherzögen des 11. Jahrhunderts waren Robert Guiscard von Apulien und Robert II. der Teufel. Die Normannen brachten den Namen 1066 nach ihrer Eroberung des Inselreichs mit nach England. In Deutschland war bis Anfang des 19. Jahrhunderts statt Robert der oberdeutsche gleichbedeutende Name Rupert, Ruprecht, zu althochdeutsch *hruod* „Ruhm" und *beraht* „glänzend", in Gebrauch.

Bekannte Namensträger

Robert Schumann (1810–1856), Komponist; Robert Koch (1843–1910), Bakteriologe; Robert Bosch (1861–1942), Elektrotechniker, Gründer der Firma Bosch; Robert Walser (1878–1956), Schweizer Dichter, Lyriker, Robert Musil (1880–1942), österreichischer Schriftsteller; Robert Atzorn (*1945), deutscher Schauspieler und erfolgreicher Serienstar; Robert de Niro (*1943), amerikanischer Schauspieler und Oscarpreisträger; Robert Redford (*1937), amerikanischer Schauspieler und Regisseur.

Kurzformen

Bob, Robi.

Fremdsprachige Namensformen

Englisch Robin, Robb, Roby, Robby, Bob, Bobby, Dobby, Hob; französisch Robert, Rob, Robin; italienisch/spanisch Roberto; niederländisch Robrecht, Robbie, Robertus; friesisch Robbert, Robyn, Rudbert; finnisch Roope.

Namenstage

24. Februar, 17. September.

Ruth

Herkunft und Geschichte Der biblische Name Ruth kommt aus dem Hebräischen; *ruth* bedeutet „Freundin, Freundschaft“, aber auch „Erscheinung, Schönheit“, „man wird es sehen, wie schön sie ist“. Die Moabiterin Ruth (nach ihr ist das gleichnamige Buch des Alten Testaments benannt) zog nach dem Tod ihres Mannes mit ihrer Schwiegermutter Noemi nach Bethlehem und heiratete den Verwandten Boas. Sie ist die Stammmutter Davids und des judäischen Königshauses, zugleich auch die Vorfahrin von Jesus. Ruth ist in der angloamerikanischen Welt, in den USA, Kanada, Australien, Schottland seit 1950 zunehmend beliebt, in England seit 1975; in der Bundesrepublik verbreitet sich der Name auch seit den fünfziger Jahren. Unter der schwarzen Bevölkerung Amerikas wird Ruthena bevorzugt. Ruth stand 1979 in der Schweiz an 11. Stelle der seit 25 Jahren beliebtesten Mädchennamen.

Bekannte Namensträgerinnen Ruth Schaumann (1899–1975), Schriftstellerin, Bildhauerin, Graphikerin; Ruth Leuwerik (*1924), Schauspielerin; Ruth-Maria Kubitschek (*1931), deutsche Schauspielerin, vor allem in Fernsehserien.

Fremdsprachige Namensformen Spanisch Rut; baskisch Urte; skandinavisch Rut; mazedonisch, serbokroatisch Ruta; russisch Ruf', Rut'.

Namenstag 4. Juni.

Sabina, Sabine

Herkunft und Geschichte

Der Herkunftsname „die Sabinerin“ ist zugleich die weibliche Form zu Sabinus, dem ursprünglichen Beinamen für einen Sabiner aus dem Stamm eines der ältesten Völker Italiens. Zur Verbreitung des Namens trugen mehrere Heilige bei, darunter die Märtyrerin Sabina um 126 in Rom, Patronin der Hausfrauen. Auf dem Aventin in Rom erhebt sich die Kirche Sankt Sabina, um 425 über den Fundamenten eines antiken „Titulus Sabinae“ erbaut, eine sehr sehenswerte Basilika.
In der Bundesrepublik wurde Sabine erst in der Nachkriegszeit beliebt: 1959 und 1966 lag der Name in Berlin an 1. Stelle, 1978 erreichte er in Wiesbaden Platz 9, um dann seit 1979 von dem ähnlichen englischen Nymphennamen Sabrina verdrängt zu werden. In Österreich stand Sabine 1984 auf Platz 11.

Bekannte Namensträgerinnen

Sabine Sinjen (1942–1995), Schauspielerin; Sabine Braun (*1968), deutsche Fünfkämpferin, Bronzemedaille in Atlanta 1996; Sabine Christiansen (*1957), Fernsehjournalistin.

Kurzformen

Bina, Bine, Bingel.

Fremdsprachige Namensformen

Französisch Savine; italienisch Sabina; spanisch Savina; ungarisch Szabina.

Namenstage

29. Januar, 11. Juli, 29. August, 3. Dezember.

Sabrina, Sabrine

Herkunft und Geschichte Sabrina, mit der deutschen Aussprache za'bri:na, ist der legendäre lateinische Name für den Fluss Severn in Südwestengland. Nach einer keltischen Sage wurde die in Panik in den Fluss Severn springende Tochter Sabre der wälischen Königin Gwendolyn in eine Nymphe verwandelt und gab so dem Fluss den Namen. In John Miltons mythologischem Maskenspiel „Comus“ (1634, neu 1893) ist Sabrina die Wasserfee dieses englischen Flusses.

In der Nachkriegszeit hat das Schauspiel „Sabrina Fair“ und nach ihm der Film „Sabrina“ den Namen in der angloamerikanischen Welt bekannt gemacht.

In der Bundesrepublik tauchte Sabrina 1961 in Niedersachsen auf, 1967 stand der Name in Berlin an 24. Stelle, während sich die ähnlich lautende Sabine 1965 bis 1975 in der Spitzengruppe behauptete. Beide Namen sind nicht miteinander verwandt. W. Seibicke schreibt dazu 1981 in der Zeitschrift „Sprachdienst“, Heft 3: „Ich habe zwei Belege dafür, dass Mädchen, deren Mütter Sabine heißen, den Vornamen Sabrina erhielten – offenbar als moderne Form des mütterlichen Namens.“ 1979/80 war Sabrina in Wiesbaden, Groß-Gerau, Freiburg, Heidelberg, Bielefeld, Celle unter die ersten 10 vorgedrungen und insgesamt 1980 überraschend auf den 2., 1981 auf den 4. Platz der beliebtesten Mädchennamen gerückt. 1987 und 1988 lag der Name auf dem 8. Platz. In Österreich stand Sabrina 1984 an 16., in Zürich an 7. Stelle.

Kurzformen Sabrin, Brina.

Sara, Sarah

Herkunft und Geschichte

Die ansteigende Beliebtheitskurve des biblischen Namens Sara, Sarah, hebräisch *ßārāāh* „Fürstin, Herrin“, zeigt, dass die Namen des Alten Testaments an Beliebtheit gewannen. Sara gibt es als deutschen Vornamen seit der Reformation. Sarah ist die hebräische, Sara die übermittelte griechische Form.
In neuerer Zeit erschien Sarah 1971 in England in der Spitzengruppe (2. Stelle) und stand dort 1981 an 1. Stelle der 10 beliebtesten Mädchennamen. In dieser Zeit wurde der Name auch in der Bundesrepublik beliebt: 1983 und 1984 hatte Sara, Sarah die 9. Stelle, 1987 die 5., 1988 die 2. Stelle der häufigsten Mädchennamen erreicht. Seit 1983 konnte der Name seinen Platz in der Spitzengruppe behaupten. In Zürich lag der Name 1984/85 auf Platz 3, in Bern 1979 bis 1986 in der Spitzengruppe; in Österreich 1984 auf Platz 38.

Bekannte Namensträgerinnen

Sarah Bernhardt (1844–1923), französische Schauspielerin; Sarah Kirsch (*1935), Schriftstellerin, Hölderlinpreis 1984; Sarah Churchill, englische Schauspielerin; Sarah Ferguson, „Fergie“, ehemalige Ehefrau des englischen Prinzen Andrew; Zarah Leander (1907–1981), schwedische Filmschauspielerin und Sängerin.

Literatur

„Die Geschichte von Tobias und Sara“, Prosa (1939, deutsch 1953) von Paul Claudel; „Briefe an Sarah“ (1977), „Paul und Sarah“ (1979), Prosa von Elisabeth Borchers.

Fremdsprachige Namensformen

Englisch-amerikanisch Sara, Sarah, Sadie, Saddie, Sallie, Sally, Zara, Zarah; französisch, italienisch, spanisch Sara; niederlandisch Sara, Sarah, Saar, Saartje, Sarie, Sarina; skandinavisch Sara, Sassa, Sagga; russisch Sarra; ungarisch Sari, Sarika; jüdische Koseformen: Sarche, Sorche, Sorle, Serle, Serchen Zorle.

Namenstag

9. Oktober.

Sebastian, Bastian

Herkunft und Geschichte

Der Name Sebastian gehört zwar zu *sebastós* (griechisch) „verehrungswürdig, erhaben" und mag sich auf den heiligen Sebastian beziehen, aber der alemannische Baschi, der schwäbische Basche, der bayerisch-österreichische oder obersächsische Wastel waren alles andere als „erhaben" und oft mehr im tadelnden als im liebkosenden Sinn zu verstehen.

Die Legende berichtet, dass der heilige Sebastian als christlicher Offizier mit Pfeilen durchschossen wurde; dies Martyrium machte Sebastian zum Patron der Büchsenmacher und Schützengilden und hatte gewichtigen Einfluss auf die rege spätmittelalterliche Verehrung in Deutschland.

Der schon seit 1975 oft gewählte Name Sebastian ist seit 1979 unter den 10 beliebtesten Namen der Bundesrepublik und rückte 1983 bis 1985 sogar auf den 2. Platz vor. Regional wird auch gerne die Kurzform Bastian gewählt. Der Erfolg von Sebastian war nicht zu stoppen. Er erreichte zwar nicht den begehrten 1. Platz, aber er blieb bis 1995 in Westdeutschland und sogar bis 1996 in Ostdeutschland immer unter den ersten 10 der am häufigsten gewählten Namen. Sebastian lag 1984 in Zürich auf Platz 20, in Österreich nur auf Platz 35.

Bekannte Namensträger

Sebastian Kneipp (1821–1897), katholischer Geistlicher und Naturheilkundler, Entdecker des Wasserheilverfahrens.

Literatur

„Sebastian im Traum", Gedichte (1915) von Georg Trakl; „Der Bastian", Roman (1974) von Barbara Noack.

Kurzformen

Bastian, Bast, Baste, Basti, Bascho, Wastl.

Fremdsprachige Namensformen

Französisch Sébastien, Bastien; italienisch Sebastiano, Bastiano, Basto; niederländisch Sebastiaan, Bastiaan, Bas.

Namenstag

20. Januar.

Silvia

Herkunft und Geschichte

Silvia ist eine Ableitung von Silvius und von Silvanus, dem römischen Gott des Waldes, der Herden und der fruchtbaren Gärten. *Silva* (lateinisch) bedeutet „Wald", daraus wurde Silvia, das die Wälder und Herden liebende Mädchen. Der römische Dichter Vergil hat dieses natürliche Bild in einer zierlichen Schäferpoesie verschönt, die uns im 17./18. Jahrhundert aus Italien erreichte und in Bildern und Porzellanfiguren dieser Zeit noch an gezierte, leichte Muse erinnert.
Silvia hatte 1960 in der Bundesrepublik den 7. Platz der häufigsten Mädchennamen erreicht, war 1967 noch regional in der Spitzengruppe und stand 1979 in der Schweiz an 9. Stelle der seit 25 Jahren beliebtesten Mädchennamen. Heute wird der Name nicht mehr so häufig gewählt.

Bekannte Namensträgerin

Königin Silvia von Schweden (*1943), ehemals Dolmetscherin und mit bürgerlichem deutschen Namen Silvia Renate Sommerlath.

Literatur

„Sonntag mit Silvia Monika", Erzählung (1932) von Gertrud Bäumer. Silvia oder das Schweizermeidli Silvelie, eine der Hauptgestalten in John Knittels Roman „Via Mala" (1934).

Fremdsprachige Namensformen

Englisch Sylvia, Silva, Sylva; französisch Silvie, Sylvie; schweizerische Kurzform: Silvelie, Sivvy, Silvie; finnisch, norwegisch Sylvie; mazedonisch, serbokroatisch Silva; polnisch Sylwia; russisch Sil'vija; tschechisch Sylva. Die im Deutschen unkorrekte Schreibung Sylvia ist nicht zu empfehlen.

Namenstage

21. April, 3. November.

Simon, Simone

Herkunft und Geschichte

Simon, die griechische Form des hebräischen Namens Simeon, ist ein biblischer Name, der von *schimōn* (hebräisch) „Erhörung" beziehungsweise *schime'āh* „Ruhm, Kunde (Gottes)" abgeleitet ist.

Namengebend waren der Apostel Simon (Fest 28. Oktober), Simon, der „Bruder des Herrn", ein Vetter Jesu, Bischof von Jerusalem (†107), und Simon Petrus, der spätere Apostel Petrus. Nach der Reformation in evangelischen Volkskreisen und bei den Puritanern in England gebräuchlich, wurde der Name dort seit 1960 wieder beliebt und erreichte 1970, 1975 große Verbreitung. 1984/85 lag er in Zürich an 10. Stelle.

Simone, die weibliche französische Form von Simon, ist ein Vorname, der in der Nachkriegszeit beliebt wurde. Simone erreichte 1977 in der Bundesrepublik Platz 8 in der Spitzengruppe der häufigsten Mädchennamen und hielt sich 1978 auf Platz 11. 1979 bis 1981, 1983, 1984 war Simone in Bern in der Spitzengruppe, 1984 in Zürich an 20. Stelle. Inzwischen sind beide Vornamen auf der Beliebtheitsskala nach unten gerutscht.

Bekannte Namensträgerinnen

Simone de Beauvoir (1908–1984), französische Schriftstellerin, Lebensgefährtin Jean-Paul Sartres, intellektuelle Vorkämpferin für die Emanzipation der Frau; Simone Signoret (1921–1985.), französische Schauspielerin.

Fremdsprachige Namensformen

männlich: englisch/französisch Simon; italienisch Simone, spanisch Simón; katalanisch Simó; niederländisch Simon, Siem, Siemon, Sim; friesisch Sieme, Sime, Simen, Simke, Simme, Syme, Symke; russisch Simon, Siman; ukrainisch Symon.

weiblich: englisch/französisch Simone; italienisch Simona, Simonetta; niederländisch auch Simonia; friesisch Simen, Simke, Simkje; mazedonisch Sima, Simka; norwegisch Simonie.

Namenstage

18. Februar, 28. Oktober.

Sofie, Sophie, Sonja

Herkunft und Geschichte

Um den wieder auflebenden griechischen Namen Sofia, Sofie, älter Sophia, Sophie richtig zu verstehen, sollte man die ursprüngliche Bedeutung kennen: Die Athener nannten ein Schiff „Sophia", wenn es handwerklich und technisch vollkommen gelungen war. Mit sophia (griechisch) meinte man das Wissen, Verstehen von Fertigkeiten in Handwerken und Künsten, Erfahrung und Gewandtheit im täglichen Leben, gesunder Menschenverstand und auch Weisheit in unserem Sinne.
Um 1900 war der Name in Berlin sehr beliebt. Nachdem der Name beinahe vergessen zu sein schien, tauchte die Form Sophie 1992 auf Platz 9 der Beliebtheitsskala in den neuen Bundesländern auf. Seit 1995 bevorzugen die Eltern die italienische Form Sophia. Dafür ist Sophie auch in den alten Bundesländern wieder populär, stand 1995 auf Platz 8 und 1996 auf Platz 7.

Bekannte Namensträgerinnen

Sophie Scholl (1921–1943), Widerstandskämpferin gegen das Hitlerregime, Mitglied der „Weißen Rose", 1943 hingerichtet; Sophia Loren (*1934), italienische Filmschauspielerin; Sonja Kirchberger, österreichische Schauspielerin („Die Venusfalle").

Kurzformen

Fei, Feie, Fia, Fie, Fieke, Figo, Phya.

Sonja

Sonja, eine russische Verkleinerungsform von Sophie, gewann als Modename von 1958 an und kam regional in die Spitzengruppe: 1958 lag der Name in München an 20., 1972 in Wien an 12. und 1975 in Karlsruhe an 10. Stelle. In Österreich erreichte er 1984/86 den 30., 1985 in Bern den 23. Platz.

Namenstage

Sofie 15. Mai, 30. September; Sonja 18. September.

Stefan, Stefanie

Herkunft und Geschichte

Stephan, Stefan geht ursprünglich auf *stéphanos* (griechisch) „mit dem (Sieges-)Kranz" zurück und wird durch das Martyrium des heiligen Stephanus in der Urgemeinde von Jerusalem in „mit der Märtyrerkrone" umgedeutet. Der Stephanuskult ging im 5./6. Jahrhundert vom Mittelmeerraum aus, erreichte den Süden des deutschen Sprachraums und war bis Ungarn verbreitet. König Stephan von Ungarn (969–1038), der Heilige, soll der rätselhafte „Bamberger Reiter" im Bamberger Dom sein. Stefan hielt in der Gesamtauswertung der Jahre 1961 bis 1974 in der Bundesrepublik den 4. Platz, um danach 1977 bis 1987 auf dem 3. bis 7. Platz zu bleiben. In Österreich stand Stefan 1984/86 an 2. beziehungsweise 3. Stelle. In Bern belegte der Name 1986 Platz 8 und in Zürich 1984/85 Platz 5.

Bekannte Namensträger

Stefan George (1868–1933), Lyriker der Neuromantik; Stefan Zweig (1881–1942), Schriftsteller; Stefan Heym (*1913), deutscher Schriftsteller; Stefan Aust, Journalist, Chefredakteur des „Spiegel"; Steven Spielberg (*1947), einer der kommerziell erfolgreichsten amerikanischen Regisseure („E.T.", „Schindlers Liste"); Stefan Edberg (*1966), schwedischer Tennisspieler der Weltklasse, beendete 1997 seine Profilaufbahn; Steve McQueen (1930–1980), amerikanischer Schauspieler; Stephen King, amerikanischer Bestsellerautor.

Kurzformen

Steff, Steffel, Steffen; österreichisch Stefferl.

Fremdsprachige Namensformen

Englisch Stephen, Steven, Steve; französisch Etienne, Stéphane; italienisch Stefano; spanisch Estéban; niederländisch Stefaan, Stephaan, Stef, Steef; polnisch Sczepan; russisch Stepan; ungarisch István.

Stefanie

Herkunft und Geschichte

Die weibliche Form Stefanie übertraf an Beliebtheit den Stefan und nahm in der Bundesrepublik von 1977 bis 1987 den 1. oder 2. Platz ein. Seit Anfang der neunziger Jahre hat der Name an Popularität eingebüßt und ist in West- und Ostdeutschland aus der Spitzengruppe verdrängt worden. In Österreich 1985/86 erreichte Stefanie den 15. Platz, in Bern 1984 den 1., 1986 den 5., in Zürich 1984 den 14. Platz. Anregung zum Namen gab der Ufa-Film „Stefanie“ (1958/59).

Bekannte Namensträgerinnen

Stefanie „Steffi“ Graf (*1969), Tennisspielerin und Nr. 1 der Welt bis 1997. Stéphanie von Monaco, skandalumwitterte monegassische Prinzessin; Fanny Ardant (*1951), französische Filmschauspielerin.

Kurzformen

Fannie, Fanny, Steffi

Fremdsprachige Namensformen

Französisch Stéphanie; italienisch Stefania; spanisch Estefania; niederländisch Stefana, Fanie; serbisch Stefa, Stefka.

Namenstag

Stefan und Stefanie 26. Dezember.

Susanne

Herkunft und Geschichte

Susanna, Susanne ist seit dem Mittelalter ein beliebter Name aus der Bibel, der von *schuschan* (hebräisch) „rote Lilie“, und *souson, soussanna* (griechisch) „Lilie“ abgeleitet wird.

Die schöne biblische Gestalt der „Susanne im Bade“ machte den Namen volkstümlich und führte zu gern gemalten Szenen, so etwa von Altdorfer, Rembrandt oder Rubens. Die lautmalenden Doppelnamen Anna-Susanna und Johanna Susanna wurden zu Glockennamen gewählt; die ähnlich klingende Glockenumschrift „Hosanna, Hosianna“ mag hier mitgespielt haben.

Susanne stand 1961 bis 1974 in der Bundesrepublik in der Gesamtwertung an 4. Stelle, um 1978 und später nur noch regional in der Spitzengruppe zu sein. In England konnte die Susan 1947 bis 1959 den 1. Platz aller Mädchennamen halten. In der Schweiz stand Susanne 1979 an 8., in Österreich 1984/86 an 36. Stelle.

Bekannte Namensträgerinnen

Susanne Lothar, deutsche Theaterschauspielerin; Susanne Uhlen (*1955), deutsche Schauspielerin; Susanna Tamaro, italienische Schriftstellerin („Geh wohin dein Herz dich trägt“); Susan Sarandon (*1946), amerikanische Schauspielerin und Oscarpreisträgerin.

Kurzformen

Su, Suse, Susi, Susy, Zus, Zusi, Zusel.

Fremdsprachige Namensformen

Englisch Susan, Sue, Susie; französisch Suzanne, Suson, Susette, Zuze, Suzette; spanisch Susana; italienisch Susanna; niederländisch Sanne, Sanneke, Sanny, Santje, Sus, Susje; slawisch Susanka.

Namenstage

24. Mai, 11. August.

Sven, Svenja

Der norwegische Königsname Sven war ursprünglich ein nordischer Beiname. Durch Runeninschriften des 10. Jahrhunderts mit Suain überliefert, gehört er zu sveinn (altnordisch) „Jüngling, Knappe, Jungkrieger“. Sven gelangte aus Südschweden nach Deutschland und wurde bei uns durch den schwedischen Forschungsreisenden Sven Hedin (1865–1952) bekannt.
1972 stand Sven in Flensburg an 1., in Hamburg an 3. Stelle, rückte dann durch Verbreitung von Norden nach Süden 1977 unter die zehn beliebtesten Vornamen in der Bundesrepublik auf, um danach nur noch regionale Beliebtheit zu erreichen.
Schwedische Koseformen sind Svenke, Svente, Svenne.
Die dänische Form Svend wurde bekannt durch den dänischen Tiergeschichtenerzähler Svend Fleuron (1874–1966).
Die nicht korrekte Schreibung Swen sollte vermieden werden.

Fremdsprachige Namensformen

Englisch Swain, Swayne, Sweyn; französisch Svend, Swithin; dänisch Sven, Svend; schwedisch Sven; norwegisch Sven, Svein.

Svenja

Svenja ist die jüngere nordische weibliche Form von Sven.

Svea war in älterer Zeit in Schweden der allegorische, symbolische Name für Svea rike, das Schwedenreich; seit Tegnèrs großer Dichtung „Svea“ (1817) ist er weiblicher Taufname.

Namenstag

Sven, Svenja 5. Dezember.

Tanja

Herkunft und Geschichte

Tanja ist eine Kurzform des russischen Vornamens Tatjana, und dieser die slawische Form des Heiligennamens Tatiana; daneben gibt es den ostsyrischen Heiligennamen Tatian. Beide kommen wohl von dem römischen Namen Tatianus, der eine Erweiterung von Tatius ist, einem Königsnamen der Sabiner.
Tatiana war eine von vier Märtyrerinnen dieses Namens; sie starb etwa um 200 in Rom. Ihre große Verehrung im slawischen Sprachraum erklärt die Verbreitung des Namens in Russland.
Tatjana wurde in der Neuzeit zu einem der fünf populärsten Mädchennamen in der Sowjetunion. Die Kurzform Tanja erreichte 1961 bis 1974 in einer Gesamtwertung in der Bundesrepublik neben der ähnlich klingenden Anja die 12., 1977 die 4. Stelle und hielt noch 1979 den 9. Platz, verlor aber dann an Bedeutung. Tanja stand in Österreich 1984/86 an 18., in Bern 1984 an 15., 1985 an 18. Stelle.

Fremdsprachige Namensformen

Englisch Tatiana, Tania, Tanya, Tonya; französisch Tatienne; italienisch Taziana; spanisch Tania; finnisch Taina; russisch Tat'jana, Tanja, Tanjura.

Namenstag

12. Januar.

Thomas

Herkunft und Geschichte

Thomas ist die griechisch-lateinische Form eines biblischen Namens, zu *thaom* (hebräisch) „der Zwilling“. Unter den Jüngern Jesu Christi war Thomas der „Ungläubige“, der Zweifler, der nicht an die Osterbotschaft, an die Auferstehung glauben wollte. Später haben die katholischen Kirchenlehrer Thomas von Aquin und Thomas von Kempen zur Verbreitung des Namens beigetragen, in England Thomas Becket, Erzbischof von Canterbury, der 1170 von Königstreuen erschlagen wurde.
In den 60er Jahren stand Thomas in der Bundesrepublik an 1. Stelle, hat aber inzwischen an Bedeutung verloren. Dafür tauchte in den neuen Bundesländern 1993 zum ersten Mal die Kurzform Tom auf Platz 9 der beliebtesten Vornamen auf und 1996 zum zweiten Mal. In Österreich hatte Thomas 1984 den 2. Platz erreicht. In der Schweiz hielt der Name 1979 und auch noch 1984/85 in Zürich den 4. Platz.

Bekannte Namensträger

Thomas von Aquin (1225–1274), bedeutender Philosoph und Theologe; Thomas A. Edison (1847–1931), erfolgreichster amerikanischer Erfinder; Thomas Mann (1875–1955), deutscher Dichter und Nobelpreisträger; Thomas Bernhard (1931–1989), österreichischer Dichter; Thomas Gottschalk (*1950), Fernsehmoderator; Thomas Muster, österreichischer Tennisspieler der Weltklasse; Thomas Freitag (*1950), deutscher Kabarettist; Tom Cruise (*1962), amerikanischer Schauspieler; Tom Hanks, amerikanischer Schauspieler und zweifacher Oscarpreisträger.

Kurzformen

Tam, Tom, Toms, Thom; niederrheinisch Maas, Tommes, Dohmes; englisch Tomy, Tommy; französisch Thomé; italienisch Tomaso, Tommaso; spanisch Tomás; niederländisch Tomes, Tomis, Tommie; dänisch Tammes; schwedisch Tomas; russisch Foma; ungarisch Tamás.

Namenstage

28. Januar, 3. Juli.

Tim, Timm, Timo, Tiemo

Vier niederdeutsche Namen, die im norddeutschen Raum zunehmend beliebt geworden sind. Zusammen mit Thiemo, Thiemmo, Thimmo, Diemo und Dimo gehören sie zu den sehr häufigen alten deutschen Kurzformen des 8. bis 11. Jahrhunderts, die aus den vollen Namen Thietman, Thietmod, Thietmund, vor allem aber aus dem sehr häufigen Thietmar hervorgegangen sind.

Alle Namen sind gekennzeichnet durch das altsächsische *thioda*, althochdeutsch *diot*, was „deutsch" und zugleich „Volk" bedeutet und sich auf alle deutschen Volksstämme bezieht. Die m-anlautenden zweiten Namensteile erklären sich mit: *man* „Mann", *mod* „Mut, Kraft des Denkens", *mund* oder *munt* „Schutz", „der Schützende, Beschützer"; mar kann von mari (althochdeutsch) „berühmt" kommen, aber auch für ehemalige Küstenbewohner stehen, zu althochdeutsch *mari*, altsächsisch *meri* „Meer, stehendes Gewässer". Tim, Timm stand 1981/82 in Kiel, 1985 in Bielefeld an 10. Stelle. Timo war in Ostfriesland, in Leer, an die 10. Stelle vorgerückt.

Timo ist eine Stifterfigur des 13. Jahrhunderts im Naumburger Dom.

Verwandte friesische Kurzformen Temmen, Time, Tjomme, Timmo, Timmy; niederländisch Dimme, Dimmen, Tiem.

Tim kann auch Kurzform von Timotheus sein; ein biblischer Name auf griechisch Timó-theos „ehre Gott!".

Namenstag 26. Januar.

Tobias

Herkunft und Geschichte

Ein biblischer Name, der aus dem Hebräischen kommt: *tõbijjãh* bedeutet „Gott ist gut, die Güte des Herrn". Tobias ist der Held des apokryphischen Buches Tobias im Alten Testament. Der Erzählung liegt wohl das Märchen vom „dankbaren Toten" zugrunde, in dem der Erzengel den Sohn von Tobias auf der Reise beschützt. Der junge Tobias ist später Patron der Pilger und Reisenden. Die „Biblische Namenconcordanz" griff früher die „Güte" auf und übersetzte den Namen mit „Gutmann".
Seit 1973 in Südwestdeutschland beliebt (in Stuttgart an 8. Stelle), erreichte Tobias 1978 bis 1980 und wiederum 1988 die Spitzengruppe der 10 häufigsten Namen. In Bern kam Tobias 1983 auf Platz 21. Mit Ausnahme einiger Ausrutscher zwischendurch zählt Tobias sowohl in den alten als auch in den neuen Bundesländern, ununterbrochen zu den beliebtesten Vornamen. Für Platz 1 hat es nicht gereicht, aber 1993 hat er mit dem 3. Rang nur knapp das Ziel verfehlt. Die gute lautliche Fügung des Namens To-bi-as hat sicherlich die Namenswahl gefördert.

Darstellende Kunst

(Erzengel) „Raphael und Tobias", Lindenholzfiguren (1516) von Veit Stoß, Germanisches Nationalmuseum, Nürnberg.

Literatur

„Tobias Buntschuh", Tragödie (1916) von Carl Hauptmann; „Ich bin Tobias", Roman (1966) von Luise Rinser; „Zwiesprache mit Tobias", Erzählungen (1978) von Ingeborg Bayer.

Kurzformen

Tobi, Töbi, Tobies.

Fremdsprachige Namensformen

Englisch Toby, Tobiah; französisch Tobie; italienisch Tobia; katalanisch Tobies; baskisch Tobi; niederländisch Tobias, Tobais; finnisch Topi, Topias; russisch Tovija, Tovij.

Namenstag

2. November.

Ulrich und Ulrike

Der schwäbische Ulrich und die schwedische Ulrike sind verwandte Namen, der eine in Süddeutschland heimisch, der andere in Schweden entstanden.

Ulrich

Herkunft und Geschichte Ulrich, älter Odalric, Uodalrich (St. Gallen 781), gehört zu *uodal* (althochdeutsch) „väterliches Erbgut, Stammgut, Erbbesitz" und *richi* „reich, mächtig". Bischof Ulrich von Augsburg (890–973) wurde bekannt durch sein mutiges Aufreten im Kampf gegen die Ungarn (955); 993 offiziell heilig gesprochen (als erste Person überhaupt). Der Humanist Ulrich von Hutten (1488–1523) und Herzog Ulrich von Württemberg (1487–1531) machten den Namen in der evangelischen Bevölkerung populär.

Bekannte Namensträger Ulrich von Hutten (1488–1523), Humanist; Ulrich Wickert (*1942), Journalist und Autor; Ulrich Tukur (*1957), Theaterschauspieler; Uli Stein (*1957), Torwart.

Ulrike

Herkunft und Geschichte Ulrike, die niederdeutsche und nordische weibliche Form zu Ulrik, kursierte zu Anfang nur in Adelskreisen. Die Heirat der Ulrika Eleonora von Dänemark mit dem schwedischen König Karl XI. und ihre gleichnamige Tochter Ulrika, 1718/20 Regentin von Schweden, haben seit 1680 den Namen bekanntgemacht. Ulrike stand 1957/58 an 6. Stelle der häufigsten Mädchennamen in der Bundesrepublik und war 1967 noch in der Spitzengruppe. Aktuelle bekannte Namensträgerinnen sind Ulrike Folkerts, Schauspielerin und Ulrike Meyfarth (*1956), zweifache Olympiasiegerin im Hochsprung.

Namenstag 4. Juli.

Urs, Ursula

Herkunft

Zwei Namen werden hier zusammen genannt, die beide aus Heiligennamen hervorgegangen sind und aus dem Lateinischen stammen, von ursus „Bär".

Urs

Geschichte

Urs gehört zu Ursus, einem christlichen Bekenner der (römischen) Thebaischen Legion, der um 300 in Solothurn enthauptet worden sein soll.
Urs, der beliebte Taufname, lautete früher im Volksmund meist Durs, Dursli. Das anlautende D war ursprünglich das t von Sankt'Urs(us). Noch 1979 stand Urs an 6. Stelle der häufigsten Schweizer Knabennamen.

Namenstage

Namenstage: 30. September, 9. November.

Ursula

Herkunft und Geschichte

Ursula ist die Verkleinerungsform von Ursus mit der Bedeutung „das Bärchen". Jahrhundertelang war der Name beliebt durch die Verehrung der heiligen Ursula, Stadtpatronin von Köln, Schutzpatronin der Ursulinen. Der Legende nach soll die heilige Ursula eine britische Prinzessin gewesen sein, die mit ihren 11.000 Jungfrauen vor den Toren Kölns ermordet wurde. Seit dem Mittelalter breiteten sich Verehrung und Name über das ganze Abendland aus. Ursula war besonders in der Nachkriegszeit beliebt und stand in der Bundesrepublik 1957/58 an 7., 1960 an 10., in der Schweiz 1979 an 2. Stelle der seit 25 Jahren beliebtesten Mädchennamen. Seither ist die Beliebtheit zurückgegangen.

Bekannte Namensträgerinnen Ursula Andress (*1936), Schweizer Schauspielerin; Ursula Monn (*1950), beliebte Serienschauspielerin; Uschi Glas (*1944), Schauspielerin; Ulla Kock am Brinck, Fernsehmoderatorin.

Kurzformen Ulla, Ursel, Uschi, Nuschi, Sula, Orseli.

Namenstag 21. Oktober.

Uta, Ute

Herkunft und Geschichte

Die kurzen, heute wieder beliebten Namen Uta, Ute sind aus den alten Rufnamen Uota, Uoda hervorgegangen und gehören zur altsächsischen Kurzform Oda, od „Besitz, Reichtum, Wohlstand". Oda, Ota kam neben Uoda, Uota häufig schon im 8. Jahrhundert vor und wurde in der weiblichen Form zu Uta, Ute, in der männlichen Form zu Otto.
Uote hieß die Mutter Kriemhilds in der Nibelungensage. Die bekannte Stifterfigur der Uta im Naumburger Dom steht neben ihrem Gemahl, Markgraf Ekkehard II. von Meißen (13. Jahrhundert).
Uta, Ute stand 1957/58 an 5., 1962 an 10. Stelle der häufigsten Mädchennamen in der Bundesrepublik.

Bekannte Namensträgerinnen

Uta Ranke-Heinemann, streitbare katholische Theologin und Autorin; Ute Lemper (*1964), Sängerin und Tänzerin.

Ute wird nur mit langem geschlossenen u (u:) gesprochen, der Vorname klingt dunkel; wer den Namen Ute wählt, sollte deshalb darauf achten, dass er zum (möglichst hellklingenden) Familiennamen passt.

Namenstag

23. Oktober.

Uwe

Herkunft und Geschichte Der Ruf „Uwe, Uwe“ nach dem Nationalspieler Uwe Seeler scheint bis heute nachzuklingen. Uwe ist eine friesische Kurzform, deren Herkunft sich heute nicht mehr genau ermitteln lässt. In einer Sammlung alter friesischer Namen erscheinen die ostfriesischen Kurzformen Ubbe, Ubbo, Ubbod, Ufe, Uffe und Owe, Uve neben den nord- und westfriesischen Kurzformen Ubbo, Obbe, Uvo und Owe, Ouwe, Uwe. Sie sind verkürzt aus altdeutschen Vollnamen mit Od-, Ot- wie Odbert, Ubert, Ulbod, Otfried und gehören alle zum altsächsischen Wort od, auf althochdeutsch ot, „Gut, Besitz, Reichtum, Wohlstand“. Uwe erreichte 1957/58 in der Bundesrepublik den 6., 1960 den 5. Platz der beliebtesten Jungennamen, 1964 bis 1969 war er in der damaligen DDR in der Spitzengruppe der ersten 10 Namen.

Bekannte Namensträger Uwe Johnson (1934–1984), Schriftsteller; Uwe Seeler (*1936), Hamburger SV, Fußballspieler des Jahres 1960, 1964, 1970; Uwe Rahn, Spieler in der Nationalmannschaft, Fußballer des Jahres 1987; Uwe-Jens Mey, Eisschnelllauf-Sprinter, Olympische Goldmedaille; Uwe Streb, Eisschnellläufer; Uwe Bolius (*1940), österreichischer Schriftsteller; Uwe Friedrichsen, Fernsehschauspieler; Uwe Ochsenknecht (*1956), Schauspieler („Männer“) und Sänger.

Nebenformen Uwo, Uvo, Owe; niederländisch-friesisch auch Ouwe, Uke, Uko.

Namenstag 18. November (Odo).

Vanessa

Herkunft und Geschichte

Man nimmt an, dass der aus dem Englischen stammende Vorname eine Schmetterlingsgattung bezeichnet. Vielleicht trifft aber auch die Vermutung zu, dass der englische Dichter Jonathan Swift Vanessa aus den Anfangssilben des Namens „Ester Vanhomrigh" gebildet hat und der Name durch sein Gedicht „Cadenus und Vanessa" von 1726 berühmt wurde. Seit 1991 gehört Vanessa zu den Favoriten unter den Mädchennamen. Zunächst schaffte er es auf Platz 10 in Westdeutschland. Der Trend ging nach oben, denn 1992 lag er auf Platz 8. 1993 sank Vanessa in der Gunst um einen Platz nach unten ab, kletterte 1994 erneut auf den 8. Rang und landete 1995 auf Platz 10. Während der Vorname in den alten Bundesländern aus der Spitzengruppe verdrängt wurde, scheint er sich in Ostdeutschland gerade durchzusetzen. Vanessa stand 1996 auf Platz 9.

Wahrscheinlich wurde die Verbreitung des Vornamens beeinflusst durch Vanessa Redgrave. Die 1937 geborene englische Künstlerin machte nicht nur durch ihre schauspielerischen Glanzleistungen auf sich aufmerksam, sondern auch durch ihre spektakulären Stellungnahmen zu politisch umstrittenen Themen unserer Zeit.

Bekannte Namensträgerinnen

Vanessa Mae, amerikanische junge Geigerin, die Rock und Klassik zu verbinden sucht, Bambigewinnerin 1995; Vanessa Paradis, junge französische Schauspielerin, die auch als Rocksängerin auftritt.

Verena

Herkunft und Geschichte Verena, „die Scheue, Schamhafte“, gehört zu *vereri, verens* (lateinisch) „sich scheuen, Scheu und Scham haben“.
Der heute sehr beliebte Vorname in Österreich und der Schweiz geht auf das Vorbild und die Verehrung der heiligen Verena zurück. Sie lebte im 4. Jahrhundert als Einsiedlerin in der nach ihr benannten Verenaschlucht bei Solothurn, später bei Zurzach im Aargau († um 350), begraben im Verena-Münster, Zurzach. Sie ist Patronin der Armen und Notleidenden, der Müller, Fischer und Schiffer mit Wallfahrtsort Zurzach.

Darstellungen in der Kunst Als Klosterfrau auf einem Glasfenster von 1312 in Heiligkreuztal; Wandgemälde in der Stiftskirche zu Zurzach; Bild im Historischen Museum, Basel.

Der Name breitete sich in Österreich aus, nachdem ein Teil der Reliquien Verenas in den Stephansdom nach Wien gebracht worden waren. Verena wird auch heute noch in der Schweiz verehrt. 1979 stand der Name an 20. Stelle der seit 25 Jahren beliebtesten Mädchennamen der Schweiz, seither ist die Tendenz rückläufig. Dafür gewinnt der Name in Österreich an Beliebtheit, 1986 lag er an 21. Stelle, im Burgenland und in Tirol 1984/85 an 12. Stelle.

Kurzformen Vreni, Vrenele, Vreneli, Rena.

Im Wiesental (Baden) nannte man ein Mädchen in der Tracht des Tales Vreneli – nach Johann Peter Hebels Vreneligestalt in seinem alemannischen Gedicht „Hans und Verene“. Das badische Wiesental ist nicht weit vom Schweizer Zurzach entfernt.

Namenstag 1. September. Fest in den Bistümern Basel und Wien.

Wolfgang

Herkunft und Geschichte

Wolfgang und die Kurzform Wolf waren bereits im 9. bis 11. Jahrhundert häufige altdeutsche Rufnamen; *wolf* bezieht sich auf die Eigenschaften des Wolfes, nämlich „Kraft, Stärke, Ausdauer", und *gang* bedeutet „Waffengang". Bischof Wolfgang von Regensburg (um 924–994) wurde als Heiliger durch die im 14. Jahrhundert aufblühende Wallfahrt nach Sankt Wolfgang am Abersee verehrt. Dadurch kam der Name im 15./16. Jahrhundert in Mode. Johann Wolfgang von Goethe schrieb in Erinnerung an seine Jugendzeit in Leipzig 1766/67: „Ich war nach Menschenweise in meinen Namen verliebt und schrieb ihn ... überall an. Einst hatte ich ihn auch sehr schön und genau in die glatte Rinde eines Lindenbaumes ... geschnitten ..." (Dichtung und Wahrheit, 7. Buch).
Die Kurzform Wolf war noch um 1900 ein auf den Adel beschränkter Name. 1957/58 erreichte Wolfgang in der Bundesrepublik die 2. Stelle neben Michael und Jürgen. In Österreich lag 1984 Wolfgang an 25. Stelle.

Bekannte Namensträger

Wolfgang Amadeus Mozart (1756–1791), österreichischer Komponist; Wolfgang Borchert (1921–1947) und Wolfgang Koeppen (1906–1996), Schriftsteller; Wolf Biermann (*1936), Schriftsteller und Liedermacher; Wolfgang Schäuble (*1942), CDU-Politiker und Fraktionsvorsitzender der Partei; Wolfgang Thierse (*1943), SPD-Politiker; Wolfgang Petersen (*1941), deutscher Regisseur, der heute in Hollywood arbeitet; Wolfgang Joop (*1944), deutscher Modeschöpfer; Wolfgang Niedecken (*1951), Gründer der Rockgruppe „BAP", Sänger und Maler.

Fremdsprachige Namensformen

Italienisch Volfango; spanisch Wolfango; katalanisch Wolfgang; russisch Vol'fgang; serbokroatisch Wolfgang, Volbenk; ungarisch Farkas.

Namenstag

31. Oktober.

Mutter und Kind

Mein Kind ist krank – so hilft die Natur
Von Dr. med. H. Wachtl – 160 S.,
durchgehend vierfarbig, gebunden
ISBN: 3-8068-**4761**-4
Preis: DM 39,90

Von der Familienplanung bis zum Schulbeginn reicht die Themenpalette dieser Ratgeberreihe für Eltern und solche, die es werden wollen. Schwerpunkte sind Schwangerschaft und Geburt, Pflege, Entwicklung und Erziehung.

Weitere FALKEN ElternRatgeber:

1612-3 Mein Baby entdeckt die Welt
1613-1 Keine Angst vor Trotzköpfen
1614-X Mein Kind muß ins Krankenhaus
1615-8 Das hyperaktive Kind

Alle vier Titel sind durchgehend vierfarbig, kartoniert und kosten **DM 19,90.**

Wie soll es heißen?
Von D. Köhr – 100 S.,
11 Zeichnungen, kartoniert
ISBN: 3-635-**60067**-9
Preis: DM 9,90

Oft fällt es Eltern schwer, sich auf einen Namen für ihr Kind zu einigen. Der Ratgeber möchte Ihnen mit Informationen über die Bedeutung sowie den Ursprung der Vornamen und einem Namensverzeichnis von A-Z bei Ihrer Entscheidung helfen.

Die Kunst des Stillens
Von Prof. Dr. med. E. Schmidt,
S. Brunn – 110 S., 6 s/w-Fotos,
11 Zeichnungen, kartoniert
ISBN: 3-635-**60084**-9
Preis: DM 12,90

Durch Stillen können Sie Ihr Kind gesund und natürlich ernähren. Dieser kompetente Ratgeber gibt praktische Anleitungen und Gesundheitstips für werdende und bereits stillende Mütter.

Rückbildungsgymnastik
Von H. Höfler – 112 S.,
97 s/w-Fotos, kartoniert
ISBN: 3-635-**60062**-8
Preis: DM 12,90

Was geschieht im Körper der Mütter in den ersten Wochen nach der Geburt? Dieses Buch gibt Antwort auf viele Fragen und das abwechslungsreiche Übungsprogramm zeigt, wie jede Frau durch eine gezielte Gymnastik die Rückbildungsprozesse ihres Körpers fördern kann.

FALKEN